改訂版

最短10時間で9割とれる 共通テスト古文のスゴ技

渡辺 剛啓
Takehiro Watanabe

＊本書は、2020年に小社より刊行された『最短10時間で9割とれる共通テスト古文のスゴ技』に最新の学習指導要領と出題傾向に準じてより手厚く解説するなどの加筆・修正を施し、令和７年度以降の大学入学共通テストに対応させた改訂版です。

はじめに

改訂版刊行にあたってのはしがき――著者の思い

受験生の皆さん、こんにちは。渡辺です。**本屋さんでこの本を目にして手に取ってくれた人、ネットで注文して家で読んでいる人、先輩や友達からプレゼントされた人**、さまざまな人がこのページを読んでくれていると思います。そんな人々に向けて**この場を借りて僕の思いをちょっとだけお伝えしたいと思います。**

この本のおおもとは、2015年に、当時難解な出題が続いていた大学入試センター試験への**対策が遅れている受験生への特効薬**というコンセプトで刊行された『**最短10時間で9割とれる　センター古文のスゴ技**』という本です。当時のセンター試験は、実力のある受験生でも思うような点数がとれないこともある形式だったため、**悩める受験生に解答の着眼点とノウハウを伝える『スゴ技』は当時の受験生に想定以上の大歓迎を受け、増刷を重ねることができました。**

そして、センター試験は「大学入学共通テスト」に変わり、この間に受験生に課せられる出題も大きく変わっていきました。『スゴ技』も「共通テスト版の『スゴ技』」に変身・強化し、**累計で六万人以上の受験生の合格をサポートしてきました。**

今回、「大学入学共通テスト」の出題を見直し、**受験生がおさえなければいけないポイント**を踏まえて大々的に書き改めました。僕が教えている予備校には、古文を苦手とする多くの理系の浪人生が在籍しています。**そのような「今まで古文とは縁がなかった」受験生に「伝える」ような気持ちで、従来版よりもいっそう基礎を大事にして、読みやすさと簡潔さを徹底的に追求して書きました。**本書には、予備校講師として日々教壇に立つ僕が感じる**受験生の悩みと弱点をサッと解消できるような**「**スゴ技**」が盛りだくさんなので、本番まで大いに活用してください。

この本に書かれている「**スゴ技**」**をインプットすれば、共通テスト古文は絶対に怖くない**！自信をもって本番に臨むことができるでしょう。

この本を書くにあたり、（株）ＫＡＤＯＫＡＷＡの駒木結さん、一梓堂の小野あい子さんには編集・校正で大変お世話になりました。また、企画を最初につないでくださった犬塚壮志さんにも感謝申し上げます。そして、これまで『スゴ技』を活用して後輩に薦めてくれた卒業生と、教育現場で推薦してくださった多くの先生方にも深く感謝致します。

渡辺　剛啓

目次

はじめに 002

0時間目 本書の使い方 006

〈基礎徹底編〉

1時間目 カンに頼らない読み方をおさえよう！ 012

2時間目 文法の基本事項はココだ！ 020

3時間目 「文法」の森で迷わないために 038

4時間目 「敬語」がわかれば読解もバッチリ！ 060

5時間目 「和歌解釈」の必勝ポイントはココだ！ 076

〈共通テストチャレンジ編〉

6時間目 「敵」を知れば危うからず！ 共通テストの攻略法！ 098

7時間目 「語句問題」に潜む意外な落とし穴！ 108

8時間目 共通テスト形式を攻略せよ！ その一（段落内容把握・人物把握・要素分解型） 128

9時間目 共通テスト形式を攻略せよ！ その二（対話文・複数本文） 162

10時間目 これからの共通テストを考えよう！ 「解説文形式」の攻略！ 196

巻末資料① 228

巻末資料② 234

巻末資料③ 236

おわりに 238

本書の使い方

あらためて、本書を手に取ってくださりありがとうございます。実際の古文の勉強に入る前に、どういうふうにやっていけば「共通テスト」の古文を突破できるのか、**本書の使い方のコツ**をご紹介しますね。

まず、皆さんに求められていることは、「**古文を正確に読み**」、「**設問の指示に従って正しく解答する**」こと。これを、20分という制限時間内に終わらせる必要があります（時間配分には個人差がありますが、20分を超えてしまうと現代文・漢文の時間を圧迫してしまう恐れがあるのでおすすめできません）。

そのためには、①**読む技術を身につけ**、②**文法・単語をおぼえて**、③**解答をすばやく選ぶコツを身につける**ことが大切です。本編と巻末資料を最後まで読むことで、それらを効率よく身につけることができますよ。

5時間目までで基礎力を身につけること！

本書は、5時間目までを「**基礎徹底編**」、6時間目以降を「**共通テストチャレンジ編**」としています。

5時間目までに基礎を固めること！　ここまでの内容をしっかりと身につければ、共通テストだけでなく、**二次試験や私立大の入試でもきっと役に立ちます。**

まずは、1時間目「**カンに頼らない読み方をおさえよう！**」で、**古文を読むための基本ルール**を身につけてもらいます。「単語をつなげてフィーリングでなんとなく読んでいる」人は、文法をやみくもに暗記しようとしただけで「読み」に生かされていないのが問題。この時間で、読むための基本ルールを確認してみましょう。

2時間目「**文法の基本事項はココだ！**」と3時間目「**『文法』の森で迷わないために**」では、読むときや解くときにポイントとなる「文法」を紹介します。**まだ助動詞活用表が頭に入っていない状態でも構いません。まずは通読してみてください。**打消・完了・自発・可能・受身・断定・伝聞推定など難しそうな名前の助動詞が登場しますが、心配しなくても大丈夫です！　いままで真面目に文法を学んでみても文法のポイントがつかめなかった人や、現時点での文法力がゼロに近い人でも「**あ、助動詞や助詞をこういうふうに訳すんだ**」とわかってしまえば、「じゃ、活用はこういうところに注意だな」というふうに「暗記のポイント」がわかります。そこからやり直してみると、古文の学習を違う視点から見ることができますよ。

4時間目「**『敬語』がわかれば読解もバッチリ！**」では、古文読解で重要な「敬語」についてゼロから説明します。**敬語がわかると、文法問題が解けたり、読解するうえで主語を明確におさえられたりと、いいことばっかりです。**いままで敬語を避けていた人も、この時間で共通テスト対策に必要な敬語をしっかりとおさえることができます。

5時間目「**『和歌解釈』の必勝ポイントはココだ！**」では、いよいよ「**和歌**」について説明します。「和歌」は受験生がみんな苦手とするところで、共通テストでは要注意です。**和歌について理解を深めれば、大半の受験生に差をつけることができます**！　わかりやすく解説するので、しっかりと読んでください！

6時間目から「共通テスト」対策の極意を伝授！

いよいよ「**共通テストチャレンジ編**」に突入します。「共通テストとはどういう試験なのか」を理解するために、まずは 6時間目「『**敵**』**を知れば危うからず！** 共通テストの攻略法！」を読んでみてください。**どういう出題が予想されるか**などを説明しました。ここで、共通テストについての理解を深めてくださいね。

7時間目「『**語句問題**』**に潜む意外な落とし穴！**」では、定番の「語句問題」でひっかかるポイントについて、8時間目「**共通テスト形式を攻略せよ！ その一**」では、共通テストの選択肢はどのように作られているのか、一般的な私立大入試とは違う共通テストの選択肢について考えていきます。

9時間目「**共通テスト形式を攻略せよ！ その二**」では、共通テストで出題された「**教師と生徒の対話文**」を解説します。共通テスト以外では見かけないタイプの形式なので、しっかり読み込んでくださいね。

10時間目「これからの共通テストを考えよう！」では、近年の過去問の中から、**最も出題の可能性が高いタイプ問題**を用意しました。本番のつもりで20分で演習し、解説をしっかりと読んで総仕上げとしてください。最初から高得点がとれなくても大丈夫！　その後、復習して自分の足りないところを本番までに補いましょう!!

巻末資料・単語集も利用して語彙力を強化すること

巻末資料「共通テスト必修単語・敬語動詞・掛詞・枕詞」や手持ちの単語集などを利用して語彙(ごい)力を強化すること！　特に、高校二年生などまだ**比較的時間のある人は、語彙力と文法力の強化から入ると本書の効果が格段に増します**！

どんなすばらしい「読み方」「解き方」を知っている人でも、**単語一つわからなかったために試験で泣くことも**……。読解をするうえで語彙力がなければ宝の持ち腐れ。時間のない人も、スキマ時間を使って**語彙力の強化は最後の最後までやり続けること**。

では、これから「共通テスト対策」を完璧にしていきましょう。時間に余裕がある人は5時間目終了時点で一度立ち止まり、そこまでの内容が理解できているかの確認をするといいでしょう。時間のない人は、一気に本書を通読すること。健闘を祈ります!

カンに頼らない読み方をおさえよう！

古文を正しく読むためにはどうしたらよいか？

この本を手に取ってくれた皆さんは「共通テスト対策のために古文をなんとかしよう！」と思っているのだと思います。最後まで読めば、きっと共通テストで目標点がとれます。でも、ちょっと待ってほしい。「古文を読む」ということに関しては、「共通テストの古文」も「東京大学の古文」も「早稲田大学の古文」も「教科書の古文」も同じです。まずは、どんな古文にも対応できる「基礎的な読み方」から身につけよう。

助詞を補ってみよう

次の二つの文を現代語訳してみてください。

① 竹取の翁(おきな)といふ者ありけり。

② 暁に船出だす。

どちらもそんなに難しい文法・単語はありませんよ。①には「けり」という単語がありますが、これは過去の助動詞です。②の「暁」は「夜明け前」と訳せばオッケー。訳してみましょう。

① 竹取の翁という者がいた。

② 夜明け前に船を出す（＝出発させる）。

皆さんは、きっと意識せず自然に「**者が**」「**船を**」**と助詞を補った**のではないでしょうか。実はそれが大切なんです。古文では助詞の「が」「を」などがよく省略されます。省略されているのだから、現代語に訳すときには補わないとダメなんだ。**これは当たり前のことのように思うかもしれませんが**、**とても重要なことなんですよ**。「が」を補うか、「を」を補うかは、意味から考えればオッケー。特別な決まりごとはありません。

授業中によく言うのですが、「基本ルール」は初期の段階でしっかりと身につけること！最初の段階で「基本ルール」をいいかげんに扱うと、難しい内容になると読めなくなってしまいます。

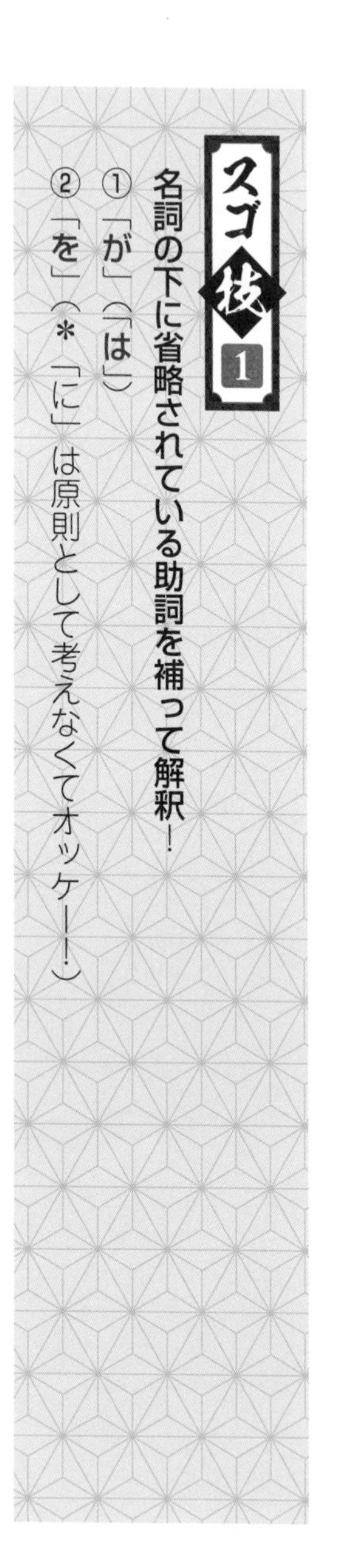

スゴ技 1

名詞の下に省略されている助詞を補って解釈！

①「が」（「は」）

②「を」（＊「に」は原則として考えなくてオッケー！）

名詞を補ってみよう

では、次のステップに行こう！　今度は次の二つの文を現代語訳してみてください。

③　水の流るるを聞く。

④　色濃く咲きたる、いとめでたし。

③を訳すときに、「水が流れるを聞く」だとちょっと変ですよね。「水が流れる音を聞く」「水が流れるのを聞く」などと訳した人もいると思います。でも、どうしてそう訳せるんでしょう？　センスがあるから？　違います！

ちょっとだけ文法の話をしますね（文法アレルギーの人や、まだ何も古文の勉強をやっていない人は、ちょっとガマンしててね！　最初は、ダマされたつもりで「そういうもんなのか」と思って読んでてくれればオッケー）。「流るる」というのは、「流る」という動詞の、「連体形」。「連体形」というのは「体言（＝名詞）に、連なる形」という意味から生まれた名前だと考えてほしい。だから名詞の直前で用いられていることが多い。でも、この連体形「流るる」の直後には名詞がない！　つまり名詞が省略されているってことだ。**省略されているのなら、解釈するときに補わなければいけないね。**そこで、後ろの動詞が「聞く」だから、「音」という名詞を補えばよさそうだぞ、と考えて、「水が流れる音を聞く」と訳します。

この解釈ができるようになるうえで重要なことってなんだと思う？　それは「流るる」を見て、「連体形だ！」って見破ること。それができるから、「後ろに名詞を補わなきゃ！」って判断につながるんだ。それが文法力。いままで、「なんで文法やらなきゃいけないのかわからない」って思っていたかもしれないけど、**文法は解釈のために学ぶってことを忘れないでほしい。**これから文法の初歩を学ぼうとしている人も、文法は解釈のためにやるんだって意識をいつももっておこう。

では、④はどうだろうか。「たる」は助動詞「たり」の連体形なんだ（まだおぼえていない人は、これからおぼえればいいです）。「たり」は「～ている」などと訳すので、「咲いて

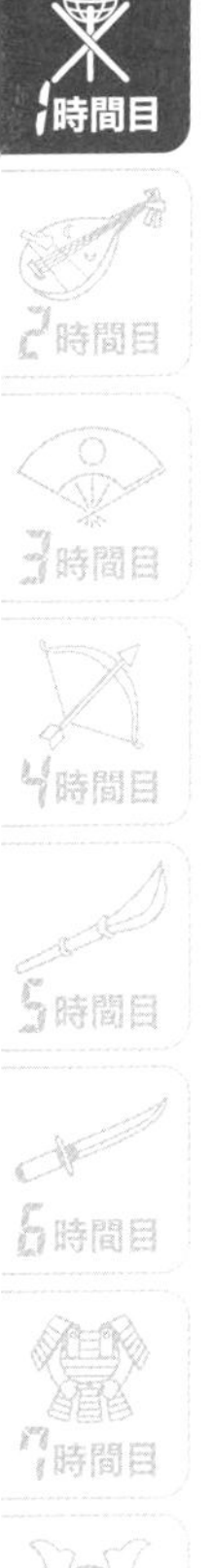

いる」と訳せばオッケー。そして、③でやったように「**連体形の後ろに名詞がないから名詞を補う**」という大事なことを思い出して、補う名詞を考えよう。「咲く」だから花の話かなと考えて、「色が濃く咲いている花」とすればオッケー。「いとめでたし」の「いと」は「とても」という意味の副詞、「めでたし」は「すばらしい」という意味の形容詞だ。「色が濃く咲いている花、とてもすばらしい」だと不自然だから、①でやったように**名詞「花」の直後に助詞を補おう**。述語が「すばらしい」だから、「花が」のほうがよさそうだね。そこで、「色が濃く咲いている花が、とてもすばらしい」となるんだ。

この文は、「色が濃く咲いている花」という部分が、「主語のカタマリ」になっていることがわかっただろうか。こうやって、**文の構造をきちんと把握して理解しようとすることが大切**だよ。古文をフィーリングで読んでしまっている人は、「色が濃く咲いていてとてもすばらしい」なんて訳してしまう。**こういうふうに読んでいるとダメなんです。文が難しくなった時に読めなくなってしまう**。小さな違いのように思えるけど、名詞を補うことができるかどうかは、正しく読めるかどうかの大きな違いになってくるから、気をつけよう。

ところで、どんな名詞を補ったらよいのか、文脈から判断できない時もあるよね。具体的に補う名詞が思い浮かばなかったら、「**こと**」「**とき**」「**もの**」「**人**」を補っておけばよいでしょう。それでもわからない時は、ピンチヒッターとして「**の**」を補ってもオッケーです。つまり、「色が濃く咲いている**もの**が、とてもすばらしい」「色が濃く咲いている**の**が、とてもすばらしい」でもよいわけです。

スゴ技2

連体形の下に名詞を補って解釈！

⬇どんな名詞かわからなかったら、**「こと」「とき」「もの」「人」「の」**でオッケー！

では、確認のためにちょっと問題を解いてみよう。

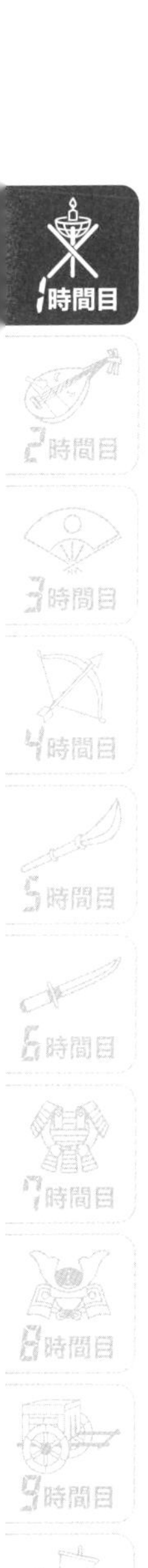

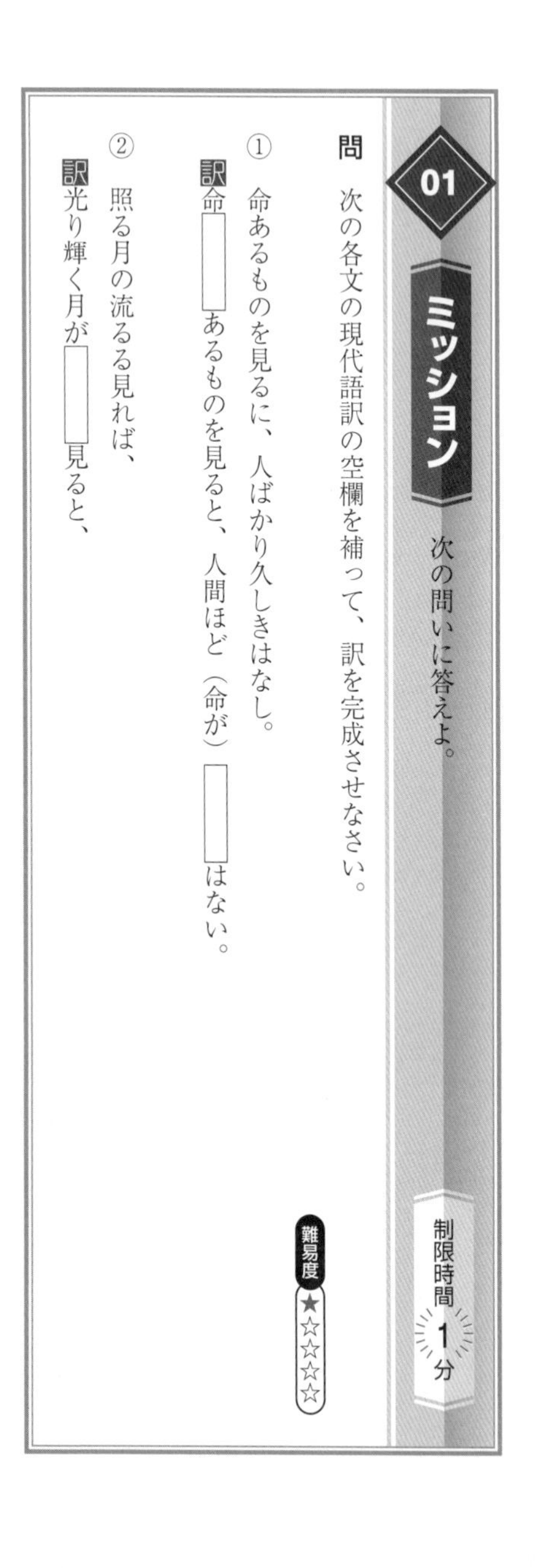

①「命ある」は「命がある」でいいね。「久しき」は形容詞「久し」（「長い」という意味）の連体形（動詞・形容詞・形容動詞の活用がアブナイ人は、活用表を見ながらでいいので、早く慣れよう！）だから、名詞を補います。「長いもの」でいいね。というわけで、「**命があるものを見ると**、**人間ほど（命が）長いものはない。**」となります。

②「流るる」は「流る」の連体形だったから、ここがポイント。具体的に「様子」でもいいし、名詞の代わりになる「の」でもオッケー。後ろに「見る」があるので、「…を見る」のほうが自然だよね。というわけで、「**光り輝く月が流れる様子を見ると、**」となります。

どうでしたか？　そこまで難しい話ではなかったと思います。でも、**助詞を補ったり**、**名詞を補ったりすることは**、**正しい解釈への重要な第一歩**なんだ。そのためにも、時間を見つけて、用言の活用などからもう一度やり直してみよう。

文法の基本事項はココだ！

“自分の力で読むために！”

では、読むための基本をちょっとずつでいいですから身につけていきましょう！

古文の読解力の基盤となるものはいろいろあるけど、そのなかでも特に大切なのが**古文単語と古典文法**だ。まずは古典文法から説明していこう（古文単語は巻末資料などを使ってくださいね。まずは文法の話から）。

古文でおぼえなくてはいけない文法事項は、英語と比較するとはるかに少ない。とはいえ、これからスタートする人にとって、いきなりすべては無理！　大きな山と感じてしまうかもしれないですね。この本では、すべてをパーフェクトにしようとして挫折してしまわないように、**まずは助動詞、それも「文脈をおさえるうえで重要な役割を果たす助動詞」に的を絞っておぼえていきましょう**！　「もう文法はある程度やっているよ」という人は、おぼえきれていないところをザッと読むなどして、3時間目に進んでくださいね。

特に重要な助動詞ってなんだ？

助動詞って30語近くあるけど、まずおぼえるべき助動詞は、**「ず」「き」「けり」「つ」「ぬ」「たり」「り」「む〈ん〉」「べし」「る」「らる」「す」「さす」「しむ」**の14語！（その他、「なり」など重要なものは、3時間目でやります！）

全部おぼえなくても大丈夫!?　と不安になるかもしれません。でも、さっきも言ったように、**いきなりすべては無理！**　**まずは的を絞っていこう。**これらをおぼえると、上手に訳すことができるようになっていきます。

そして、助動詞をおぼえるときは、「推量」「受身」などの用語ではなく、**現代語訳を中心におぼえましょう。そのほうが忘れません。また、読んでいるときに意味がつかみやすくなりますから、訳でおぼえていこう！**　そして、「例文＋現代語訳」をセットで繰り返し暗記しよう！　それが近道です。

まずは、以下の14語（7種類）の助動詞に的を絞れ！

①「ず」 ➡「打消」の意味をもつ

②「き」「けり」➡主に「過去」の意味をもつ

③「つ」「ぬ」 ➡「完了」・「強意」の意味をもつ

④「たり」「り」➡「存続」・「完了」

⑤「む〈ん〉」「べし」➡「推量」など（意味多数）

⑥「る」「らる」➡「自発」・「可能」・「受身」・「尊敬」の意味をもつ

➡（詳しくは3時間目で説明します）

⑦「す」「さす」「しむ」➡「使役」・「尊敬」の意味をもつ

➡（4時間目で軽く触れます）

① **ず**

まず、よく出てくる助動詞「ず」からいきましょう。意味は打消で「〜**ない**」と訳せばオッケー。

助動詞	**未然形**	**連用形**	**終止形**	**連体形**	**已然形**	**命令形**
ず	(ず)	ず	ず	ぬ	ね	○
	ざら	ざり	○	ざる	ざれ	ざれ

↓原則として下には「**助動詞**」がつく

「ず」は有名な助動詞だから古文を全然やっていなくても知っている人は多いんじゃないかな。特に難しい助動詞じゃないけど、注意点を二つ。

・左側の　ざら／ざり／○／ざる／ざれ／ざれ　は**直後に助動詞がついた時**に主に用いる。

・**連体形の「ぬ」、已然形の「ね」は、完了の助動詞「ぬ」と間違いやすい**！

↓正体を見破るためには、接続（＝直前の活用形）をチェックすること！

直前が未然形になっていれば、打消！

↓**3時間目**で説明します

これだけでオッケーです。細かいことはあとで追加していこう。とにかく、最低限の助動詞と古文単語でザッと読むための力をつけていくよ。**もうこのへんは学校でしっかりやったという人は読み飛ばしてもオッケー。**

② き・けり

次に**「過去」の助動詞「き」「けり」**にいきましょう！

助動詞	未然形	連用形	終止形	連体形	已然形	命令形
き		○	き	し	しか	○
けり	（けら）	○	けり	ける	けれ	○

過去の助動詞には「き」と「けり」の二つがあり、「き」には直接経験過去、「けり」は伝聞過去という違いがあります。読解の中で「き」と「けり」のどちらを使っているかを考えることで、内容をより深く読み取れることもあるのです。でも、少し高度な話なのでここでは置いておきましょう。**文法ビギナーであれば、意味の違いを細かく考えすぎず、「過去」（〜た）とおぼえておけばオッケー。**

注意点を一つ。「けり」には過去のほかに「詠嘆」の用法があります。「詠嘆」というのは「感動」だと思ってください。「〜だなあ」「〜たことよ」などと訳します。詠嘆になる事例はこうやって見抜きましょう。

スゴ抜 4

「けり」が詠嘆になる主な例

1 和歌の中の「けり」

例 見渡せば花も紅葉もなかりけり（新古今和歌集）
（見渡すと、春の桜も秋の紅葉もないことだなあ）

2 会話文や心内文（＝カギカッコの中）で「〜なりけり」となっている場合

例 「今宵は十五夜なりけり」と思ひ出でて、（源氏物語）
（今夜は十五夜であったなあと思い出しなさって）

③　つ・ぬ

続いて完了の助動詞に

いわゆる「完了」の助動詞って「つ」「ぬ」「たり」「り」の四つあるけど、「『つ・ぬ・たり・り』は完了の助動詞だ」とだけザックリおぼえて終わりにしていませんか？　**実は、これだけだと勉強した意味がまったくないんですね。**「つ」と「ぬ」が助動詞の性質的に近い存在で、「たり」と「り」が近い存在なので、二つに分けてもっと詳しく考えましょう！　では、「**つ**」「**ぬ**」から。

助動詞	未然形	連用形	終止形	連体形	已然形	命令形
つ	て	て	つ	つる	つれ	てよ
ぬ	な	に	ぬ	ぬる	ぬれ	ね

活用は、「つ」は下二段型、「ぬ」はナ変型です。動詞の活用をおぼえていない人は、おいおいやっていきましょう。まだまだの人は「こういうふうに活用（＝変化）するのか」と思っていればオッケーです。

「つ」「ぬ」の意味は、①**完了**、②**強意**となります。まず、①の完了は訳す時に「**～しまった**」

でもいいですし「～**た**」でも構いません。②の強意は「**きっと**～」とか「～**しまう**」などと訳します。特に、後ろに推量系助動詞（「む」「べし」など）が付いた時の「つ」「ぬ」は強意の意味になります。でも、二つの用法の見分けについては、**最近の入試問題で「完了と強意のどちらですか？」という類の問題はとても少ないので安心してください。**「つ」「ぬ」については、完了・強意の訳し方を幅広くおぼえておいて柔軟に対応するほうが読解に使えるよ。

また、「ぬ」については、「ず」の項目で説明したように紛らわしい時があります。終止形の「ぬ」が打消の助動詞「ず」の連体形（「ぬ」）と、命令形の「ね」が同じく「ず」の已然形（「ね」）と同じ形なんですね。**読んでいる時に「完了」と「打消」を間違えたら大変です。**ここは大切ですからきちんと区別しましょう。これについては3時間目で扱います。

④ **たり・り**

では、次に「**たり**」と「**り**」にいきましょう。「たり」「り」は、「つ」「ぬ」と違って「～してしまった」という訳にはなりません。普通は、「完了・存続の助動詞」っていわれていますが、**存続が中心です。ですから、①存続、②完了とおぼえましょう。**

①「存続」というのは「～**ている**」「～**てある**」という意味。②「完了」は「～**た**」。そも

そも、「たり」というのは接続助詞の「て」と「あり」が縮まってできたものだといわれている。そういうふうに捉えておくとおぼえやすいね。「あり」がベースですから、活用はラ変型の活用です。ちなみに「り」も同じくラ変型で活用します。

助動詞	未然形	連用形	終止形	連体形	已然形	命令形
たり	たら	たり	たり	たる	たれ	たれ
り	ら	り	り	る	れ	れ

意味の見分けについては、**まず①存続で考えて、「〜ている」「〜てある」で訳します。ちょっとおかしいなと思ったら②完了**「〜た」という感じでいいでしょう。入試では違いを問われることはほとんどないので、**「存続・完了の助動詞」というふうにおさえてくれればオッケーです。**

なお、「り」については、3時間目でまた登場しますので、難しい話はそちらに回しましょう。

⑤ む・べし

それでは次に助動詞の中でも**最大のヤマ場といっても過言ではない**「推量」の助動詞にい

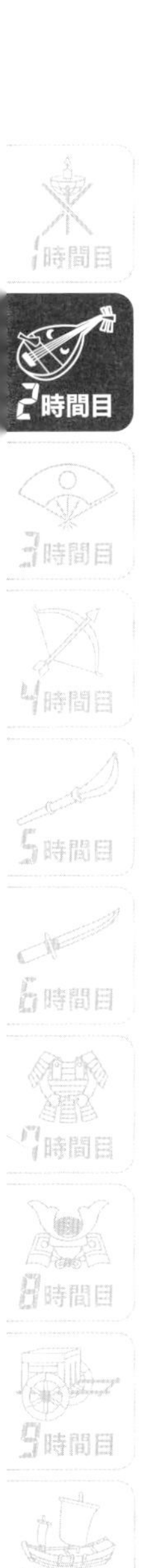

きましょう。**実は、受験生が古典文法で一番つまずいたり「ナントナクわかったかな」で済ませたりしているのはここなんですね。**僕は「**一番差がつきやすい項目**」だと思って教室ではいつも注意するように言っています。**でも、ここをしっかりやれば「訳す力」は段違いにレベルアップすることを保証しよう！**

いわゆる「推量」の仲間はたくさんあります。「む・むず・じ・べし・まじ・らむ・けむ・めり・なり・らし…」。**でも正確にこれらの助動詞の意味をスラスラ言えて、どんな文章でも訳せるという人は少ないのではないでしょうか。**やみくもにおさえようとするとすぐに忘れてしまうので、**きちんと整理整頓して理解してほしい。**そして、**文法ビギナーは欲張らずに、まずは「む」と「べし」をしっかりとマスターすること。「あれこれ詰め込んで何も残りませんでした」は最悪。おぼえることを絞りましょう。**

まずは、「む」から。ちなみに、同じ意味の助動詞に「むず」があります。大学入試では「む」＝「むず」と考えて差し支えありません（**打消の「ず」と間違えないように!!**）。意味がたくさんありますので、紹介しましょう。

「む」（「むず」）の意味

・推量 訳（…だろう）
・意志 訳（…しよう、…するつもりだ）
・適当 訳（…がよい）
・勧誘 訳（…しないか）
・仮定 訳（…ならば、それは）
・婉曲 訳（…ような）

となります。過去や完了の助動詞と比べるとちょっと多いですね。

助動詞	未然形	連用形	終止形	連体形	已然形	命令形
む	○	○	む（ん）	む（ん）	め	○

注意してほしいのは、「む」は、よく「ん」と表記されるということです。このため、ちょっ

と古文に慣れていない人は、「行かん」というのを見て、「ん？『行かない』ってこと？」と打消で考えてしまいがちなんですね（正しくは「行こう」とか「行くだろう」などの意味になります）。「んず」も、「ん」や「ず」というイメージに引かれてついつい打消で訳してしまいがちです。間違えないように気をつけましょうね。

「む」は多くの意味をもつので、その意味を見分ける必要があります。しっかりおぼえよう。

次のスゴ技をおさえてください。

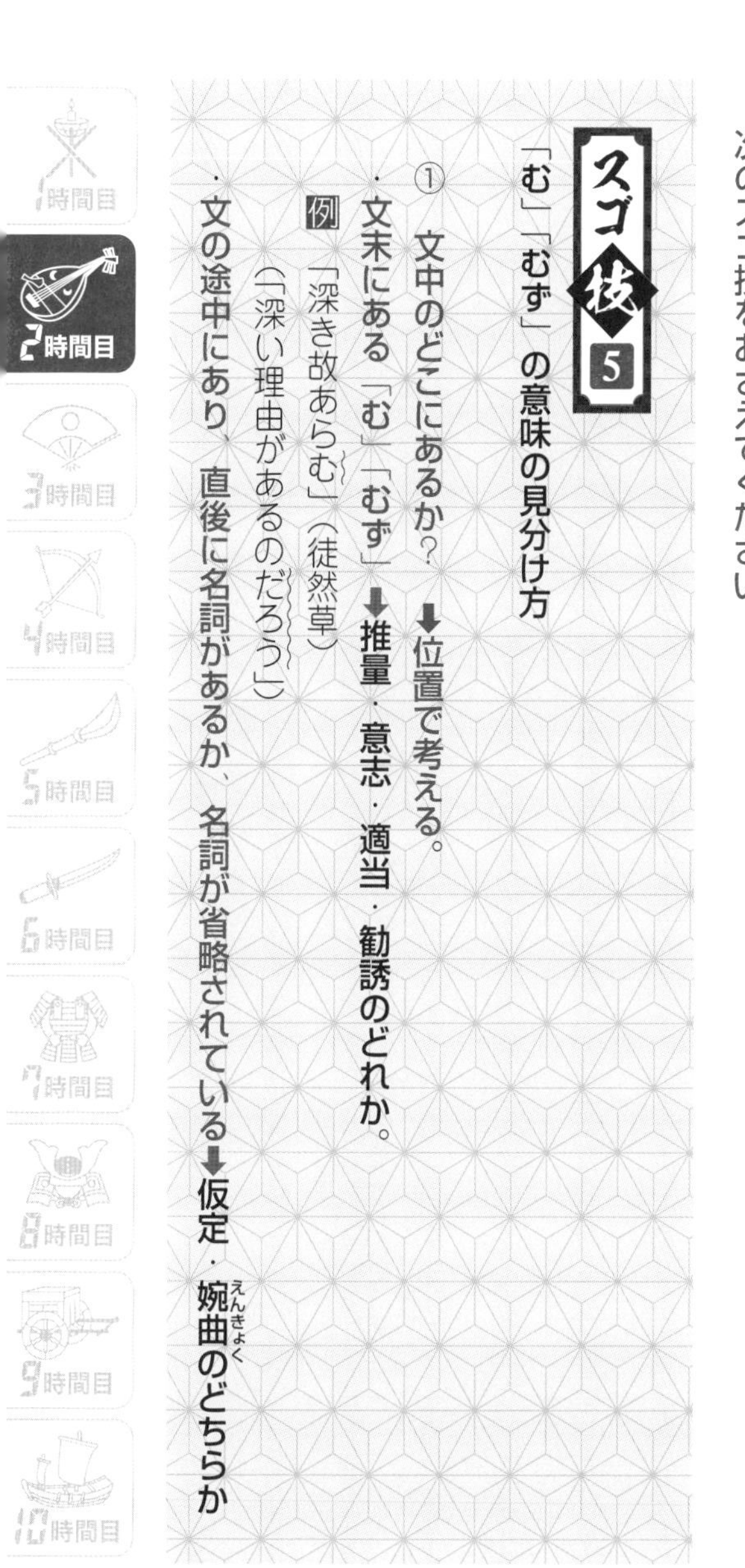

スゴ技 5

「む」「むず」の意味の見分け方

① 文中のどこにあるか？ ⬇位置で考える。

・文末にある「む」「むず」⬇推量・意志・適当・勧誘のどれか。

例 「深き故あらむ」（徒然草）
（「深い理由があるのだろう」）

・文の途中にあり、直後に名詞があるか、名詞が省略されている⬇仮定・婉曲（えんきょく）のどちらか

例 「うれしからむ心地もせず」（竹取物語）

（＝うれしいような気持ちもしない」）

②推量・意志・適当・勧誘は、主語の人称を手がかりにして文脈で判断する。

・**主語が一人称➡意志**が多い。

例 「まろ、この歌の返しせむ」（土佐日記）

（＝私がこの歌の返歌をしよう」）

・**主語が二人称➡適当・勧誘**が多い・適当と勧誘のどちらか区別がつかない場合は、気にしなくてオッケー。

例 「（あなたは）花を見てこそ帰りたまはめ」（うつほ物語）

（＝（あなたは）花を見てからお帰りになるのがよい」）

＊「め」は「む」の已然形です

・**主語が三人称➡推量**が多い。

③文の途中にある「む」は、仮定・婉曲のどちらでもオッケー。気にするな。

この見分け方（特に②）は、あくまでも「多い」ということで絶対ではありません。ただ、文法事項を学ぶ時には、特に最初のうちは例外を必要以上に気にせず原則をおさえるということを徹底しましょう。原則をおさえた人は、例外は自然とわかるようになっていきます。

最初から例外事項をすべて頭に入れようとすると、結局何もおさえられないまま終わってしまう。まずは、このルールをしっかりと頭に入れてから次のステップに進みましょう！

頑張りすぎてはいけない！「べし」

では続いて、「べし」の意味ってどうつかんだらよいのでしょうか。実は古典文法に真面目に取り組んでいる受験生でも「『べし』の意味が多すぎて見分けがつかない！」と悩んでいる人は多いのです。たしかに、「べし」の意味ってたくさんありますよね。「べし」の意味をザッと紹介しておきましょう。

「べし」の意味

推量	訳（…にちがいない）
意志	訳（…するつもりだ）
可能	訳（…できる、…できるだろう）
当然	訳（…はずだ）
命令	訳（…せよ）
適当	訳（…がよい）
義務	訳（…しなければならない）

全部で七つ。たしかに多い……。文法書によっては、これに加えて「予定」「運命」などが加えられている場合もありますし、「義務」などが載っていない本もありますが、**この七つをおさえておけばどんな入試問題でも対応できますので、この七つの意味と訳し方をおさえればオッケーです。**

でも、**七つの意味の中から「ズバリ！　これだ！」と意味を決めるのは難しいんです。**そ

れもそのはず、**実は「べし」の意味を一つに決定するのはほぼ不可能なんだ。**なにソレ？と思うかもしれませんが、「べし」の意味の境界線はかなりあいまいです。「雨降るべし」であれば「雨が降るにちがいない」（推量）、「雨が降るはずだ」（当然）、どちらかに決定することはできますか？　まず、無理でしょう。でもさすがに、「雨が降ることができる」（可能）とか、「雨が降るつもりだ」（意志）とかは（たとえどんな文脈でも）おかしいですよね。**それがわかればいいのです。**要は文脈を考えながら、妥当な意味を二つか三つに絞れればオッケー。それ以上は問われません。**本文を読んでいる時に「べし」が出てきたら、とりあえず「はずだ」「べきだ」と訳しておいて、読むのに問題なさそうなら放置でオッケーです。**

だから、「べし」にマニュアルはありません。いや、マニュアル化して考えてはいけないのですね。あまり神経質にならずに、「べし」の意味全体をつかんだうえでゆる〜く考える、これでいいのです。**古典文法に真面目に取り組んでいる受験生が悩んでしまうのは、時にガチガチにルールに当てはめようとしてしまうからなんですね。**

「べし」は、**マニュアル化禁止！**　とにかく慣れること！　これです。

「べし」の捉え方

・まずは「…はずだ」「…べきだ」などと訳してみて、問題なければ、放っておく。どんどん先に読み進める。
・もう少し詳しく意味を考える必要がある時だけ、訳を当てはめて検討する。
⬇一つに絞れなくてよい

読むために必要な助動詞をちょっとずつでいいからおさえよう

文法ビギナーの人もまずはコレだけはやっておこう。助動詞、それも「文脈をおさえるうえで重要な役割を果たす助動詞」に的を絞ること。

もちろん、助動詞はこれですべてじゃありません。でも、いきなりすべては無理！　まずは的を絞る。**そして「最低限の読む力」を手に入れましょう。**

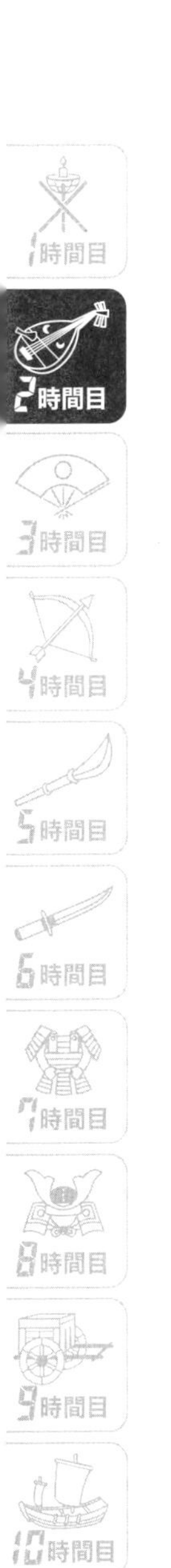
1時間目
2時間目
3時間目
4時間目
5時間目
6時間目
7時間目
8時間目
9時間目
10時間目

「文法」の森で迷わないために

読むために重要な文法はコレだ！

では、この時間は共通テスト古文を読むために必要な「**重要古典文法**」をまとめておくよ。

皆さんは、古文を読んでいて、「パッと見は同じ語のように見えるけれども、正体の違うもの」があることに気づいていますか。

例えば、文中によく出てくる「ぬ」は、**完了の助動詞「ぬ」の終止形の「ぬ」**のこともあるけど、**打消の助動詞「ず」の連体形の「ぬ」**なんてこともある。打消だったら「〜ない」と訳さないといけないし、完了だったら「〜た」などと訳さないといけない。

ほかにも、「る」は、**存続・完了の助動詞「り」の連体形の「る」**のこともあるけど、**自発・可能・受身・尊敬の助動詞「る」の終止形の「る」**なんてこともある。正しく訳すためには、こういうものをきちんと見分けないといけないんだ。このように似た者どうしを見分けることを「識別（しきべつ）」っていうんだけど、**識別ができないと文法問題も解けないばかりか、そもそも古文が正しく読めない**。最初の例でいうなら、打消と完了の意味を取り違えたら大変なことになってしまうよね。例えば「日が暮れた」と「日が暮れない」じゃ全然違うよね。

そもそも「識別」ってどうやってやるの？

まぎらわしい語の識別ってどうやるか知ってる？「**まず訳してみて意味から考える**」と**いうのは絶対にやめよう**。文脈から考えようとすると、ミスの元だよ。そもそも、文法的アプローチができるから意味がわかるのであって、それをやらずに意味がわかるわけはないんです。この本では「フィーリング」で訳していた人でも、きちんと正しく訳せるようにトレーニングするから、いままで文法を無視してきた人もしっかりやっていこうね。

識別のために重要なこと、それはズバリ、「**接続**」**から考える**！　直前の語の活用形とか品詞とか、そういう「**直前語の情報**」**を**「**接続**」**といいます**。例えば、「『けり』は連用形接続です」というのは、「『けり』の直前語は必ず連用形になります」ということ。**この**「**接続**」**を知ってこそ、まぎらわしい語の正体がわかるんだ**。助動詞活用表を見て、活用と意味ばかりおぼえようとしている人がいるけど、**識別のカギを握っているのは**「**接続**」だってことを忘れないようにしてください。そして「識別」が出来るようになれば、正確な訳が必ず出来るようになります。

みんな文法がわからずに「文脈判断」って言葉に逃げていない？　文脈（＝意味）を考えるのは、どうしても接続で判断できない時だけ。**なるべく文脈（＝意味）に頼らないで考えるのが正しいやり方なんだ。**

意味で考えてはいけない理由は、間違えるからだけじゃありません。**意味で考えると時間がかかってしまうんです。**たとえ正解にたどり着いても、共通テストは時間がかかってしまったらアウト、負けです。

識別は時間を使うところじゃない！

これを心がけてください。

では、どういう「識別」に気をつけたらいいのか。読むために重要なものを五つピックアップしたので、しっかりと身につけてほしい。簡単なものから難しいものへと習得していこう！

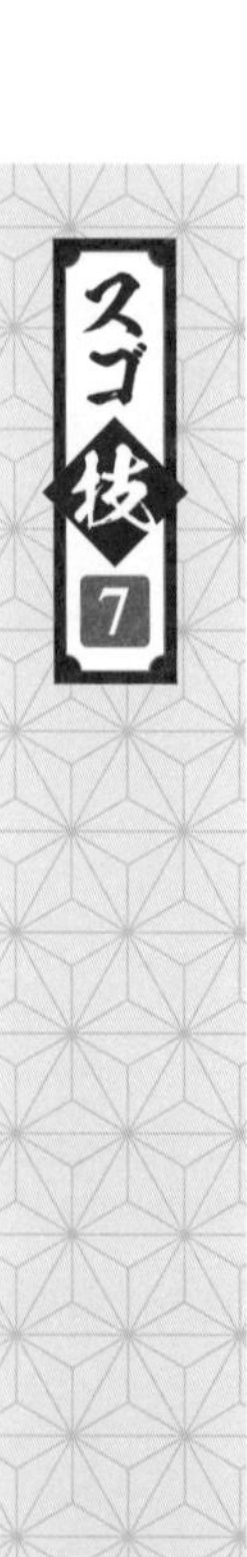

まぎらわしい語の識別は接続で考えよ。意味は最後に考えよ。
（「接続」とは直前語の情報！ 文法問題を解くうえで一番大事な情報！）

「ぬ」「ね」の識別

まずは、「ぬ」と「ね」について、それぞれ見分けられるようになりましょう。

「ぬ」「ね」の識別

① **打消の助動詞「ず」**
↓（活用）（ず）／ず／ず／**ぬ**／**ね**／○
ざら／ざり／○／ざる／ざれ／ざれ

② **完了・強意の助動詞「ぬ」**
↓（活用）な／に／**ぬ**／ぬる／ぬれ／**ね**

③ その他（動詞の活用語尾など） 例 死ぬ（ナ変動詞の活用語尾）

この三つです。そして、識別する時に大切なことは、

文法は意味からじゃない！「接続」から！「接続」とは、直前語の情報！

というのを思い出そう。

①の「ず」は、**未然形**に接続します（＝つまり直前が未然形）。

一方、②の「ぬ」は、**連用形**に接続します。これで終了！　と言いたいところなんですが、「未然形と連用形の区別がつかない場合はどうするの？」という疑問が出てきますね（**この疑問がスッと理解できない人は、動詞の活用をしっかりおさらいしよう**）。だって、上一段・上二段・下一段・下二段活用は、未然形と連用形の区別がつかないですよね。

こういう場合は、直前を見ていても解決しないので、**別の作戦を考えます**。「ぬ」「ね」が何形なのかで判断しよう。そのためにはまず直後を見ること。例えば、「ぬ」の直後に名詞（＝体言）があったら、その「ぬ」は連体形だとわかる（名詞の直前は連体形だったよね）。だから、打消の助動詞「ず」の**連体形**と判断する。

これをまとめて公式化すると、

スゴ技8

「ぬ」「ね」は、まず直前を見よ！

① 未然形＋ぬ＝打消の助動詞「ず」の連体形
　　　　　＋ね＝打消の助動詞「ず」の已然形

② 連用形＋ぬ＝完了の助動詞「ぬ」の終止形
　　　　　＋ね＝完了の助動詞「ぬ」の命令形

直前を見てダメなら活用形で導く！

ぬ＋名詞
ぞ・なむ・や・か〜**ぬ**。（係り結びの法則で**連体形**になる）
→**打消「ず」の連体形**

ね＋ども（「ども」は已然形接続）
ね＋ば（「ば」は未然・已然形接続）
→**打消「ず」の已然形**

ぬ＋べし（「べし」は終止形接続）
ぬ＋らむ（「らむ」は終止形接続）
→**完了「ぬ」の終止形**

「る」「れ」の識別

次に、「る」や「れ」の識別で問われることをまとめておこう。

「る」「れ」の識別

① **自発・可能・受身・尊敬の助動詞「る」**
⬇（活用）**れ**／**れ**／**る**／るる／るれ／れよ
訳し方は**スゴ技10**で紹介します。

② **完了・存続の助動詞「り」**
⬇（活用）ら／り／り／**る**／**れ**／**れ**
訳～ている。～ていた。た。

③ その他（動詞の活用語尾など）

この三つです。

①の「る」は、**四段・ナ変・ラ変動詞の未然形**に接続します。

一方、②の「り」は、**サ変動詞の未然形**、**四段動詞の已然形**に接続します。なんだかややこしくてごちゃごちゃしてわかりにくい。そこで、**別の作戦**。**音で識別するとわかりやすい**よ。

①「る」の接続である「四段・ナ変・ラ変の未然形」というのは、**必ず直前語の活用語尾がア段音になる**（四段の未然形は「a」、ナ変は「な」、ラ変は「ら」）。

②「り」の接続である、「サ変の未然形、四段の已然形」というのは、**必ず直前語の活用語尾がエ段音になる**（サ変の未然形は「せ」、四段の已然形は「e」）。

そうなると、それ以外の音に接続した場合は③となるね。

これを、まとめて公式化すると、

スゴ技 9

「る」「れ」は直前語の活用語尾の音で識別せよ。

① **ア段音** ＋ { **る** / **れ** } ＝**助動詞「る」**（自発・可能・受身・尊敬）

②　エ段音＋る れ＝助動詞「り」（完了・存続）

③　その他＋る れ＝動詞の活用語尾など

例 受くる（「受く」の連体形「受くる」の活用語尾）

これだけで識別の第一段階は完了！

“「る」の訳し方はすべておさえること！”

ここで注意したいのは、助動詞「る」は自発・可能・受身・尊敬のどれか？　という点まで踏み込まなくてはいけないということ。

そこで、これをおさえておきましょう。これで万全です。

スゴ技 10

「る」の意味は周辺の情報から見分けよう。

①自発…心情・知覚・無意識を表す動詞につくことが多い。
（思ふ・嘆く・知る・見るナド）
訳 自然と〜される

②可能…打消の語を伴うことが多い。
訳 〜できる

③受身…「誰々（何々）に〜される」という文意だと判断できることが多い。
訳 〜される

④尊敬…身分の高い人の動作に多い（ただし、「〜れ給ふ」の「れ」は尊敬にならない⬇044ページ）。
訳 お〜になる

「何が問われないのか」も知れ！

ここでポイントを一つ。「る」は自発・可能・受身・尊敬のどれかという点まで踏み込まなくてはいけないのに対し、「り」は完了と存続のどちらかを問われることはないということです。古文に限ったことじゃないけど、試験というもので「何が問われるか」をおさえることはもちろん重要です。そして、同じように「**何が問われないか**」**を熟知しておくことも必要**なんですね。

デキル受験生とデキナイ受験生の違いって、実はそういう差だったりする。勉強を進めていくと、「あ、これはしょっちゅう問われるぞ」とか「あ、ここはアバウトでもいいな」とか、こういう感覚が冴えてくる。**この、「デキル受験生の感覚」を公式化し、これから勉強を進めていく人に考えるヒントにしてもらおうと示したのがこの「スゴ技」です。**がんばって「スゴ技」を身につけて、デキル受験生の発想を近道でゲットしちゃいましょう！

「なむ」の識別

「なむ」の識別

次に、要注意な識別「なむ」(=なん)をマスターしておきましょう。古文を読むと、「なむ」ってけっこう出てくるよね。なお、「む」は「ん」とも書くので、「なむ」と「なん」は同じです！

① 終助詞「なむ」 ➡未然形接続 訳～てほしい（＝他者への願望）
例花咲かなむ。 訳花が咲いてほしい。

② 助動詞「ぬ」未然形 ＋ 助動詞「む」 ➡連用形接続 訳きっと～だろう・～してしまおう
例花咲きなむ。 訳花がきっと咲くだろう。

③ ナ変の未然形の活用語尾 ＋ 助動詞「む」 ➡上に「死」「去（往）」がある 例死なむ

④ 係助詞「なむ」 ➡いろいろな語に接続（特に訳さなくてもオッケー）

基本はこれだけでオッケー。

“まぎらわしい「なむ」の対処法”

ただし、ちょっとだけ難しい問題もある。例えば、直前の語が未然形か連用形かわからない場合は、①と②の識別ができずに困りますね。「『接続』で無理なら訳してみて文脈判断をするしかないかな？」……と思う前に、そんなときはこのスゴ技を使おう。

「〜なむとす」の形なら、②の助動詞「ぬ」＋助動詞「む」である。

例やをら出でなむとす。 訳そっと出てしまおうとする。

そして、**①でも②でも③でもなければ、**④「係助詞」**とおぼえておこう**！

例名をば、さかきの造となむいひける。 訳名をさかきの造と言った。

格助詞「と」は、助詞だから未然形でも連用形でもない。もちろんナ変動詞の語幹じゃない。**①でも②でも③でもなければ、④の係助詞**だ。**係助詞「なむ」は訳さなくてもオッケー**！

また、「**形容詞の基本活用連用形＋なむ**」（「〜く＋なむ」「〜しく＋なむ」）**の形も④「係助詞」**だ。

例いといとほしく、あたらしくなむ。

訳たいそう気の毒でもったいないことでございます。＊「いとほし」は「気の毒だ」、「あたらし」は「惜しい」「もったいない」という意味です。

これは難しいので、基本を完全にマスターした人だけでオッケー。

「あたらしく」は形容詞の連用形。連用形なら②じゃないの？　と思うかもしれないが、原則として、**形容詞の基本活用（活用表右側の列）の下には助動詞がくっつかないというルールがある**（初めて知った人はこの機会におぼえよう）。ということは、助動詞である②はダメ。

じゃあ、いったいなんなんだ？　**①でも②でも③でもないから、**④「**係助詞**」**だね。**

ここまで、ついてきていますか？　ある程度、古文の知識があって理解できている人は、このまま次の「なり」に進んでください。古文がゼロからのスタートで「**この時点でしんどい……**」という人は、これ以降は飛ばして（もしくは軽い気持ちで読み流して）、とりあえず4時間目に進みましょう。古文に慣れてきたら、必ず戻って読んでみてください。**あせらなくて大丈夫**！

「なり」の識別

では、次にちょっと難しい識別に進みます。「なり」が出てきたときは要注意！　助動詞などの詳しい知識が必要だ。

「なり」の識別

① **伝聞・推定の助動詞「なり」** 訳～そうだ（伝聞）・～ようだ（推定）
② **断定の助動詞「なり」** 訳～である
③ **動詞「なる」**
④ **ナリ活用形容動詞の活用語尾**

ポイントは、

伝聞・推定の「なり」と断定の「なり」は別の助動詞！

だということ。

活用も違えば接続も違う、まったく別物の助動詞なんです。用法の違いじゃありません。これは、とてもとてもとっても大切なことです。

①の伝聞・推定は、終止形接続。ただし、**ラ変型活用の語には連体形に接続するよ。**

②の断定は、体言や連体形に接続（一部の副詞・助詞にも接続するけど、基本的には「体言・連体形接続」とおさえておけばオッケー！）。この①と②の識別は共通テスト以外でも

重要です。特に私立大文系志望の人は注意しよう。とにかく、①伝聞・推定と②断定の違いを答えられるようになろう。「なり」の勝負どころはここだよ。

「なり」の接続

① 終止形（ラ変型の連体形）＋なり＝伝聞・推定

② 体言 連体形 ＋なり＝断定

まぎらわしい「なり」対策

実は難しいのはここからなんだ。**活用語の中には終止形と連体形の区別がつかない語があるため、接続だけでは簡単に助動詞「なり」の判別ができないものもある。**そんな時のために、伝聞・推定になる形をチェック。**マニアックな知識は共通テストでは必要ないので、**重要かつ頻出のものを厳選しておくよ。

スゴ技 12

伝聞・推定の「なり」は次の二点に注意！

① **音声を表す語がある。**

（伝聞・推定「なり」は、音声を根拠にして判断する助動詞。）

例 鶉（うづら）鳴くなり。　訳 鶉が鳴いているようだ。

② **撥音便（はつおんびん）が直前にある。**

（撥音便とは、活用語尾「る」が「ん」になったもの。「あんなり」「なんなり」など。「ん」

は表記されないこともある。)

例 駿河(するが)の国にあんなる山　**訳** 駿河の国にあるという山

また、**動詞「なる」は盲点になっている。**大切なのは助動詞だけじゃないから注意！　**「ず(打消「ず」連用形)」「〜く(形容詞連用形)」「と(格助詞)」「に(格助詞)」**に接続している場合は動詞だ。

例 髪も長くなりなむ。　**訳** 髪もきっと長くなるだろう。

「に」の識別

この時間は新しい知識が多くて大変だ。でも、ここで扱う識別は、すべて受験生が一番間違えやすいところ。**差がつきます！**

読むために必要というだけでなく、文法問題で問われるケースもある。20点アップのために、しっかり取り組んでほしい。

ここで踏ん張ればあとがラクだよ。がんばろう！

最後に、「に」に行きましょう。

「に」はまぎらわしいものがとても多い！　きちんと整理しておくこと。

「に」の識別

①格助詞「に」 ➡体言・連体形接続

②断定の助動詞「なり」の連用形 ➡体言・連体形接続（一部の副詞・助詞にも）

③接続助詞「に」 ➡連体形接続

④完了の助動詞「ぬ」の連用形 ➡連用形接続

⑤ナ変動詞の連用形の活用語尾 例死に

⑥ナリ活用形容動詞連用形の活用語尾 例あはれに

⑦副詞の一部 例さらに

“「断定」と「完了」をおさえること!!”

「に」は、赤字で書いた「**断定**」「**完了**」の二つが特に重要ですから、それらは真っ先にマスターしてしまいましょう。

「に」が体言（＝**名詞**）**や連体形に接続すると、接続だけでは判断できない**ので、コツが必要になってきます。**上手に識別するためには②の断定「なり」に着目することがポイント。**

そこで、次のスゴ技をおぼえておきましょう。

スゴ技 13

断定の「に」は次の公式でおぼえよ。

体言
連体形｝＋**に**（断定）＋**助詞**＋**存在動詞**（「**あり**」など）

訳「～である」

例 おのが身はこの国の**人**には**あら**ず。（体言に接続　「あり」を発見！）

訳 私はこの国の人間ではない。

断定のポイントはわかったかな？　体言に接続して、格助詞か「断定」か迷ったら、このスゴ技を思い出そう。そして、**「～である」と訳せるなら「断定」だ。**

もし、体言に接続して、断定じゃなさそうなら、格助詞を選べばいい。

「完了」もよく出るよ！

次に、**完了**の例を見てみよう。断定・格助詞のほかに、完了も大切だよ。

連用形に接続する「に」は④の完了「ぬ」の連用形しかない。でも、いちいち連用形だとたしかめなくてもこのスゴ技を使えば大丈夫。**完了は「～しまう」などと訳そう。**

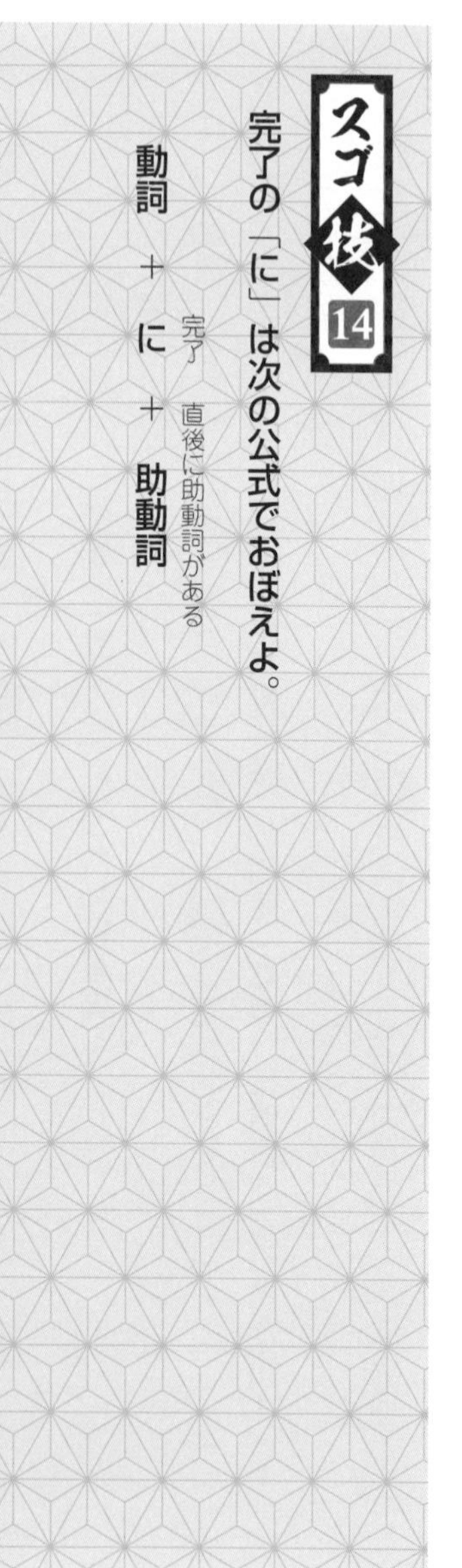

スゴ技 14

完了の「に」は次の公式でおぼえよ。

動詞　＋　に（完了）**　＋　助動詞**（直後に助動詞がある）

例 その人の名**忘れ**(動詞)**にけり**(助動詞)。

訳 その人の名前は忘れてしまった。

以上、この時間は頻出文法を取り上げました。

長かった3時間目、お疲れさまでした。**一度でおぼえられなくても大丈夫。**とりあえず4時間目以降に進んで、**ほかの解き方をおぼえてからここに戻ってきて、何度も見直そう。**

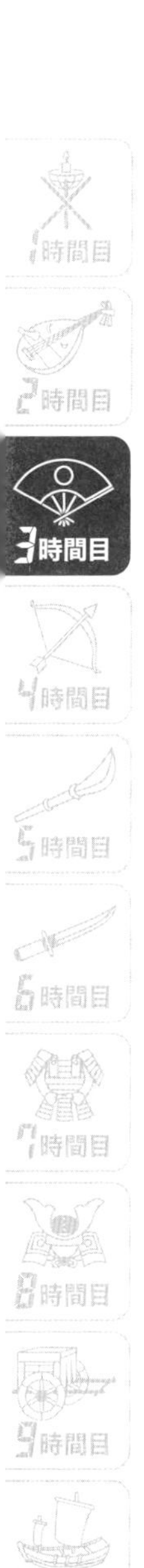

「敬語」がわかれば読解もバッチリ!

敬語問題なんて全然難しくない

助動詞について理解が深まりましたか? 次に、これまた重要文法である「**敬語**」について理解を深めておこう。敬語問題は共通テストで直接出題される可能性がある。でも、**設問で問われるかどうかは実は関係ない。敬語問題が出題されなくても、敬語について理解を深めておかないと本文をきちんと読めなくなってしまうんだ。**だから、「私は理系で古文は共通テストだけだから敬語はやらなくていいや〜」というのはとんでもない勘違い。文系でも理系でも、古文で受験する以上は敬語からは逃げられない。**だからこそ、楽しく、正しく、早く、敬語を勉強しよう。**

古文で敬語を学ぶということは、「敬意の方向」を学ぶこと。では、この「敬意の方向」とは何かということからおさえよう!

「敬意の方向問題」の基本ルール

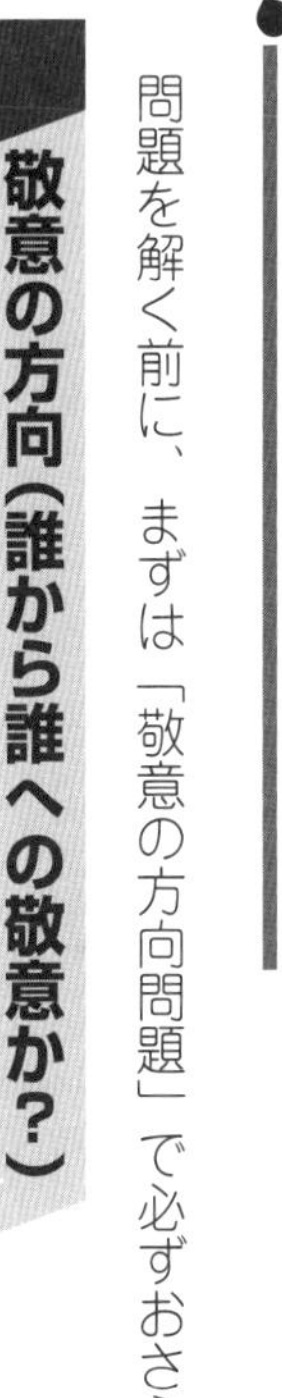

問題を解く前に、まずは「敬意の方向問題」で必ずおさえておくべき基本ルールだ。

敬意の方向（誰から誰への敬意か？）

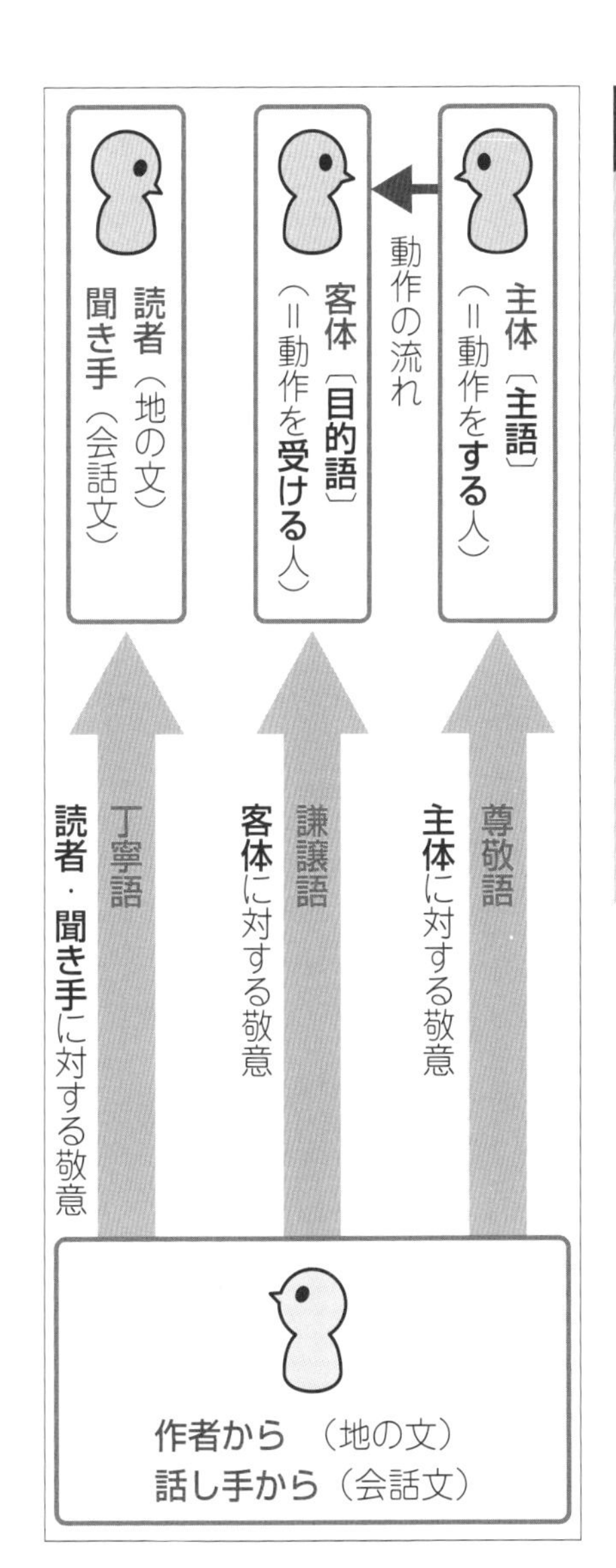

「敬意の方向問題」というのは、「誰の（**誰から**）」「誰に対する（**誰への**）」敬意かを答える問題のこと。だから、**登場人物たちの関係をしっかり把握することが必須なんだ**。動作の主体（**主語**・動作をする人）や動作の**客体**（**目的語**・動作を受ける人）、セリフであれば**発言している人**や**聞いている人**を理解できていないと、この問題は解けないからね。

「敬意の方向問題」では、「人物関係の整理」をしっかり行うこと！

①傍線部の主体・客体をしっかりチェック。
②会話文であれば、「発言している人物」と「聞いている人物」をしっかりチェック。

ここまでの説明でピンときた人もいると思うけど、入試で問題になる「敬語」というのは、基本的に敬語動詞、つまり動詞に関する話なんだ（ここでは、他の品詞に関する敬語は置いておきます）。

そして、敬語動詞には、「**本動詞**」と「**補助動詞**」**という区別がある**。まあ、ものすごく簡単にいうと、本動詞は「動作」と「敬意」の両方を表し、動詞の下にちょこんとくっついていれば補助動詞で敬意のみを表すということです。

本動詞と補助動詞

本動詞……「**動作の意味**」と「**敬意の方向**」**を表す**。
例えば、「のたまふ」は、「言ふ」という動作を表す動詞の、尊敬語。(訳)おっしゃる)

補助動詞…**動詞の下にくっついて、その動詞に「敬意の方向」のみを付け加える**。
例えば、「出で給ふ」の「給ふ」は、動詞「出づ」の下にくっついて、尊敬の意味を付け足すだけで、動作の意味をもたない。

じゃあ、問題を解いて確認してみようか。ここでは、センター試験の問題を利用します。しつこいようだけど、「共通テストでは敬語の問題が出なさそうだからやらない」というのはダメだよ。

本来、主体や客体が誰なのかは読みながら判断するのですが、ここでは解き方をおぼえてもらうため、本文を省略し、(　)内に補っておきます。まずは、「敬意の方向についての考え方」に集中してください。

02 ミッション

次の問いに答えよ。

制限時間 2分

- 兵衛佐（ひやうゑのすけ）、（兵部卿宮（ひやうぶきやうのみや）に）申しけるは、「…（兵部卿宮様の）召しに従ひて参らせ 候ふ（a）」と申せば、
- （兵部卿宮から、手紙を）常磐（ときは）、賜りて（b）、
- （常磐は、兵部卿宮に）「（兵部卿宮様が、兵衛佐の妹君を）よくよく 御覧じ候ひて（c）、…」

問 波線部a〜cの敬語についての説明として正しいものを、次の①〜⑤のうちから一つ選べ。

難易度 ★★☆☆☆

① a 兵衛佐から兵部卿宮への敬意を示す謙譲語
b 作者から常磐への敬意を示す尊敬語
c 常磐から兵部卿宮への敬意を示す丁寧語

② a 兵衛佐から兵部卿宮への敬意を示す丁寧語
b 作者から兵部卿宮への敬意を示す謙譲語
c 常磐から兵衛佐の妹への敬意を示す尊敬語

③ a 兵衛佐から兵部卿宮への敬意を示す謙譲語
b 常磐から兵部卿宮への敬意を示す丁寧語
c 常磐から兵衛佐への敬意を示す尊敬語

④ a 兵衛佐から兵部卿宮への敬意を示す丁寧語

⑤

b　作者から兵部卿宮への敬意を示す謙譲語
c　常磐から兵部卿宮への敬意を示す尊敬語
a　兵衛佐から兵部卿宮への敬意を示す謙譲語
b　女房たちから常磐への敬意を示す尊敬語
c　常磐から兵部卿宮への敬意を示す丁寧語

“敬語動詞をおぼえていないと解けない！”

順番にaからやっていこう。

- 兵衛佐、（兵部卿宮に）申しけるは、「…（兵部卿宮様の）召しに従ひて参らせ候ふ[a]」と申せば、

この「候ふ」は丁寧語です。「候ふ」には謙譲語の用法もあるけれど、**補助動詞として使われるときは必ず丁寧語**です。

そう、「うーん、まずそこからわかんないよ」という人は、**敬語動詞をおぼえなくてはいけません**。ある敬語動詞を見て、「うーん、これは尊敬語かな？　謙譲語なのかな？」って

悩む人がいるけど、これじゃ、**絶っっ対に解けません。**さきほどの図（誰から誰へ）をせっかく暗記しても、**傍線部の敬語動詞の種類がわからなければ終～了！です。**

だから、「あ、これは『のたまふ』だから尊敬語で、主体に対する敬意だ」とか、「うん、これは『聞こゆ』だから謙譲語で、客体に対する敬意だ」ってことを、「正確に」かつ「すばやく（共通テストは時間が勝負！）」見抜かなくちゃいけない。

でも、安心してほしい。敬語動詞は大変なように見えるけど、ちゃんと整理すれば大丈夫。巻末資料に敬語動詞一覧をつけておいたので、ぜひ活用してください。**基礎がまだまだの人は、すべての古文単語に先駆けて、優先しておぼえてしまいましょう！** 絶対だよ。

「敬意の方向問題」の解き方

では、「敬意の方向問題」の解き方の手順を説明していこう。

「敬意の方向問題」は次の手順で解く！

① 動作の主体・客体、（会話文であれば）話し手・聞き手をチェック！
（「人物関係の整理」を必ず行う）

② 傍線部の敬語の種類（尊敬語・謙譲語・丁寧語）を確認！
（巻末資料（⬇234ページ）で敬語動詞をきちんとおぼえておく）

③ ①と②の情報で、「誰から誰に対する敬意か」を出す！

「誰から」は……

・敬語の種類に関係ない
地の文⬇作者から！
会話・手紙⬇話し手／書き手 から！

「誰へ」は……

・敬語の種類をチェック
尊敬語⬇主体の人物へ！
謙譲語⬇客体の人物へ！

丁寧語➡聞き手／読者 へ！

aは丁寧語だったね（手順②）。この波線部は会話文だから、「**話し手から**」だね。ここでの会話の話し手は「兵衛佐」。**会話文での丁寧語は**、「**聞き手に対する敬意**」だね。ここでの会話の聞き手は「兵部卿宮」。

なんとこれだけで選択肢が二つに絞れた。

では、②と④のbを比較しよう。

②
a 兵衛佐から兵部卿宮への敬意を示す丁寧語
b 作者から兵部卿宮への敬意を示す謙譲語
c 常磐から兵衛佐の妹への敬意を示す尊敬語

④
a 兵衛佐から兵部卿宮への敬意を示す丁寧語
b 作者から兵部卿宮への敬意を示す謙譲語
c 常磐から兵部卿宮への敬意を示す尊敬語

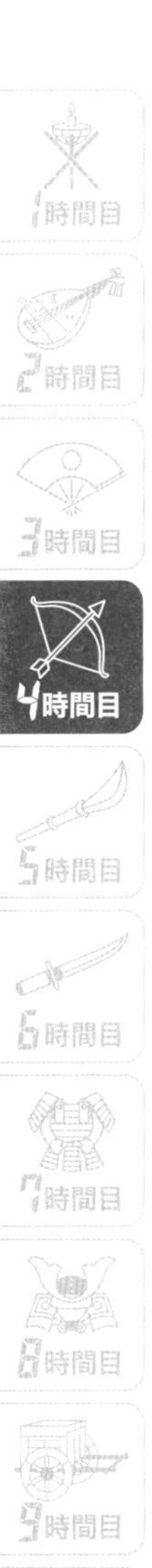

解く必要なし！　でも今は勉強のために確認しておいたほうがいいかな。
波線部の「賜り」（「賜る」の連用形）は、謙譲語で「いただく」の意味。この波線部は、地の文（会話文ではない普通の文のこと。本文全体の下地になっている文だから「地」の文という）だから、「**作者から**」だね。ここで注意してほしいことがあります。

謙譲語は「へりくだり」ではなく、客体への敬意！

実は、僕も受験生時代に謙譲語につまずいた。「謙譲語って『へりくだり』だから、動作の主体が低くなって……」と考えるとドツボにはまる。

あのね、**原則として古文の謙譲語は「客体への敬意」を表す**もので、「へりくだり」って考えると混乱の元だから気をつけよう。061ページの図を思い出して、「**動作の客体**（**受け手・される人**）**は誰かな？**」ってシンプルに考えるのがコツなんだ。

話を戻して、**謙譲語は**、「**客体への敬意**」だから、「賜る」の動作の客体を考えよう。常盤が兵部卿宮から「いただく」わけだから、「いただく人＝動作主体」は常盤。じゃあ客体は、兵部卿宮でいいね。問題なしだ。

“あっという間に解ける！”

では、最後にcを考えよう。

> ・（常磐は、兵部卿宮に）「（兵部卿宮様が、兵衛佐の妹君を）よくよく御覧じ候ひて、…」
> （c＝御覧じ候ひ）

尊敬語は、「動作の主体（主語）への敬意」だから、主語である兵部卿宮への敬意となる。よって、④が正解。もちろん「誰から」の部分も、会話文なんだから**話し手である「常磐」**で問題なし！

> ~~②~~　c　常磐から~~兵衛佐の妹君~~の敬意を示す尊敬語
> ④　c　常磐から兵部卿宮への敬意を示す尊敬語

どうだい？　難しく見える敬語問題もなんてことない。思ったより「簡単に」「すばやく」解けることがわかっただろう。

復習のときには066ページのスゴ技15でもう一度手順を確認しておこう。

現代語訳

a　兵衛佐が、兵部卿宮に申し上げたことは、「…兵部卿宮様のお召しに従って差し出しました」と申し上げると、

b　兵部卿宮から手紙を常盤はいただいて、

c　常盤は、兵部卿宮に「兵部卿宮様が、兵衛佐の妹君をよくよくご覧になりまして、…」

“敬語は本文を読み取る大ヒント”

最後に、「敬語がわかると本文がとても読みやすくなる」ということを実践してみよう。

03 ミッション

次の問いに答えよ。

制限時間 2分

問 次の文章は『竹取物語』の一節で、かぐや姫が月に帰った後の話である。帝は、かぐや姫を月の国の天人から守るために多数の兵を派遣したが、それもむなしくかぐや姫は帝への手紙と不死の薬を中将に残し、月に昇天してしまった。読んで、後の現代語訳の［①］～［⑦］に適切な人物を補って完成させなさい。

難易度 ★★☆☆

中将、人々引き具（ぐ）して帰り参りて、かぐや姫をえ戦ひ止めずなりぬること、こまごまと奏す。薬の壺に御文（ふみ）添へて参らす。広げて御覧じて、いとあはれがらせ給ひて、物も聞こしめさず、御遊びなどもなかりけり。大臣（おとど）・上達部（かんだちめ）を召して、「いづれの山か天に近き」と問はせ給ふに、ある人奏す、「駿河（するが）の国にあるなる山なむ、この都も近く、天も近くはべる」と奏す。

現代語訳

中将は、人々を引き連れて帰参して、かぐや姫を戦って止めることができなかったことを、こまごまと[①]に申し上げる。[②]は薬の壺にお手紙を添えて[③]に差し上げる。[④]は広げてご覧になって、ひどく悲しくお思いになって、[⑤]は何も召し上がらず、管絃の催しなどもなかった。[⑥]が大臣や上達部をお呼びになって、「どの山が天に近いか」と尋ねなさると、ある人が[⑦]に申し上げることには、「駿河の国にあるとかいう山が、この都からも近く、天にも近うございます」と申し上げる。

では、解説に行くよ。[①]は、「奏す」がポイント。**「奏す」は謙譲語で「申し上げる」という意味**なんだけど、**客体が帝・院の場合にのみ用いられる**。この文脈だと、「帝（＝天皇）」だね。同じような敬語に「啓す」という言葉があり、これは客体が中宮・東宮（＝皇太子）の場合にのみ用いられる。これらの敬語を「絶対敬語」というんだ。**「絶対敬語」は難しい文法の話ではなくて、単に二つの単語をおさえるだけ**だから難しくない。文脈を取るのに便利だよ。

[②]は、かぐや姫の手紙と不死の薬を「差し上げた」人物だから、「中将」。**「参らす」は「差し上げる」という意味の謙譲語（＝客体への敬意）**。[③]は「差し上げた」相手だから「帝」だね。だから、[④]も「帝」でいいね。**「御覧ず」は「ご覧になる」という意**

味の尊敬語（＝**主体への敬意**）。**この文では、地の文で主語が帝になるときは尊敬語がついているようだね。逆に、中将が主語のときには尊敬語がつかないことが読み取れる。**これを参考にしてこのあとも読んでみよう。

⑤は、「聞こしめす」が**尊敬語**なので「帝」だと推測。「**聞こしめす**」は「**お聞きになる**」**という意味以外に、**「**召し上がる**」**という意味もあるので注意だ。**ここでは「召し上がる」の意味だよ。

⑥も「召す」という**尊敬語**があるので、「帝」でよさそうだね。帝が、大臣や上達部を**お呼びになって**、尋ねたんだ。「問はせ給ふに」の「せ」は尊敬の助動詞、「給ふ」は尊敬の補助動詞で、尊敬語がダブルになっている。このような「二重尊敬」を「**最高敬語**」ともいい、**主語**（**主体**）**に対する強い敬意**を表すんだ。ただし、「す」「さす」「しむ」には、「使役」の意味もあるので、「せ給ふ」「させ給ふ」「しめ給ふ」などでも、「使役＋尊敬（＝させなさる）」の意味になることもあるので注意。

⑦は、会話文の直後と最後に「奏す」（絶対敬語）があるから、「帝に申し上げる」と意味が決まるね。よって「帝」だ。

どうかな。敬語動詞をおぼえれば、**かなり読解の役に立ちそうだ**ということがわかっただろうか。いつもいつもこのようにスパッと判別できるものばかりじゃないけど、使わない手はないよね。以下のスゴ技、すごく重要だ。要チェック！

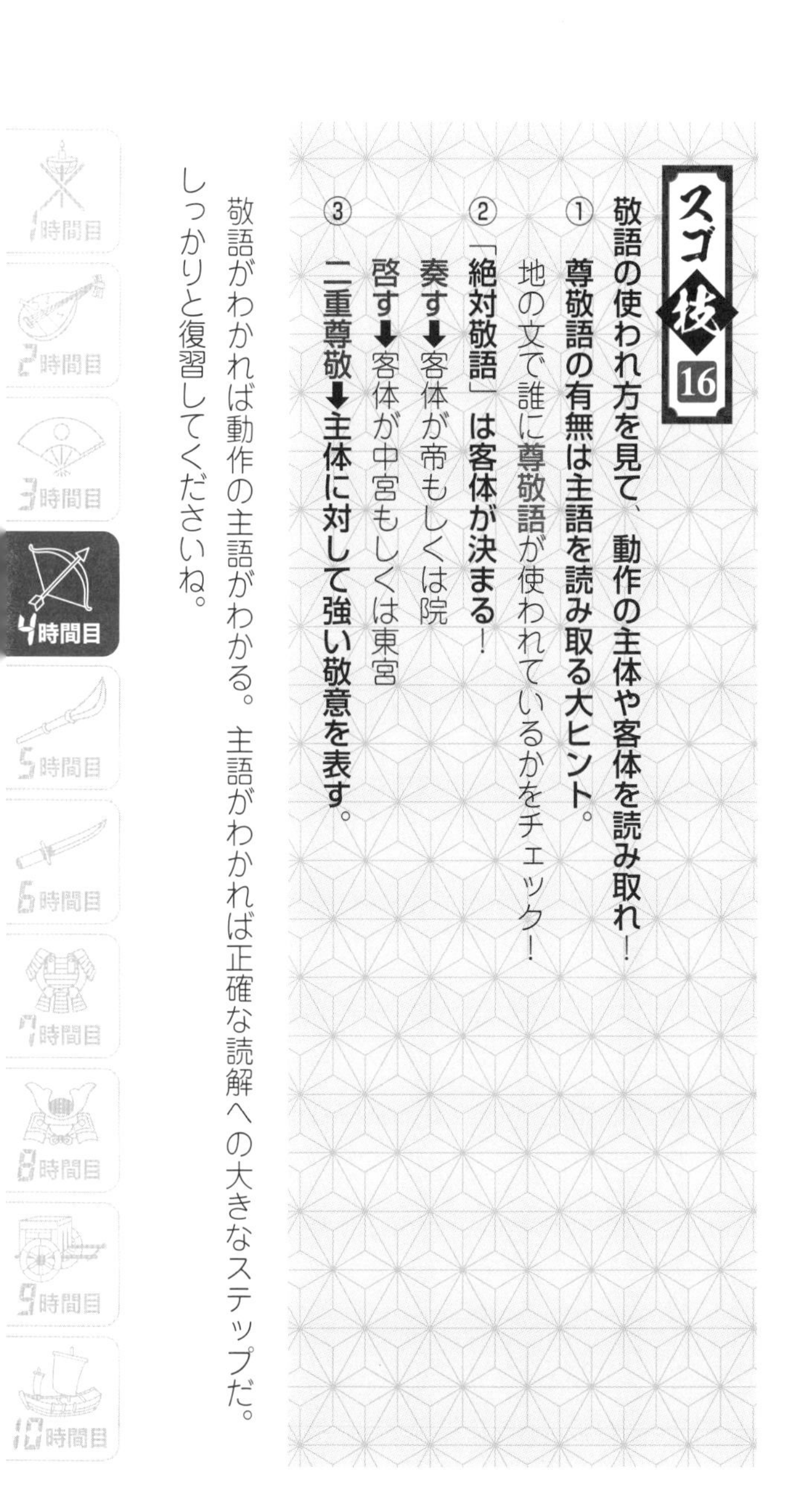

スゴ技 16

敬語の使われ方を見て、動作の主体や客体を読み取れ！

① **尊敬語の有無は主語を読み取る大ヒント。**
地の文で誰に**尊敬語**が使われているかをチェック！

② **「絶対敬語」は客体が決まる！**
奏す➡客体が帝もしくは院
啓す➡客体が中宮もしくは東宮

③ **二重尊敬➡主体に対して強い敬意を表す。**

敬語がわかれば動作の主語がわかる。主語がわかれば正確な読解への大きなステップだ。しっかりと復習してくださいね。

「和歌解釈」の必勝ポイントはココだ！

古文では和歌からは逃げられない！

受験生が古文で最も苦手としているのは、和歌じゃないだろうか。たしかに、予備校でも「和歌が苦手で……」と相談にくる受験生は多い。

苦手なものを避けて通りたいという気持ちはわかります。でも、**共通テストでは和歌がほぼ毎回出題されている。だから共通テストでは「和歌は必ず出題される」くらいの心構えで対策を立てたほうが絶対トク**だよ。しかも、**国公立大二次試験や難関私立大でも和歌はこれでもかというくらい出題されるから**、ここでしっかりやっておけば、一度の勉強で二度も三度もオイシイ。圧倒的優位に立てるはずだ。

じゃあ、この時間はいっちょ気合いを入れて、「和歌への対処法」を基本の基本からやってみよう。いままで和歌から逃げていた人も、丁寧にアプローチを学んでいけば、きっとできるようになるよ。

和歌は和歌から考えるな！

では、和歌解釈はどこからスタートすればいいのか。そこから説明しよう。

ズバリ、和歌は和歌から考えるな！

えっ、和歌の解釈をするんじゃないの？

勘違いしないでほしい。**和歌は、「誰が」「誰に」「どうして（どんな状況で）」詠んだものかを把握しないで解釈に突入すると、ものすごく難しいんだ。**まずは、周辺の情報を固めるのが大事だ。

次に、**「普通文に改造せよ」**。「五・七・五・七・七」って五つの句に分解したあと、**句切れを確認する。**意味上どの句のおしまいで切れているのかを把握する作業です。これをすることで、和歌に「。」をつけて、**普通文に接する意識で読めるようになるよ。**必ずやってね！

注意点は、**「句切れはリズムで考えるな」**ということ。**文法的に句点が打てる箇所を探す。**とりあえず、**「終止形」「命令形」「終助詞」「係り結びの『結び』」**を探せばオッケー（なお、句切れは一か所とは限らない。また、「句切れなし」もあるよ）。

最後に、具体的な修辞について考えればいい。共通テストでは、「**掛詞**（かけことば）」「**枕詞**（まくらことば）」「**序詞**（じょことば）」「**縁語**（えんご）」をおさえておけばオッケー。それぞれについて、詳しくはあとで説明しよう。

「和歌が出た！」って身構えて、**文脈も句切れも無視していきなり修辞から考える人がいるけど、それはダメなやり方。**実は、和歌の解釈で悩んでいる人は、和歌そのものがわからないというより、**この手順を無視してムリヤリ解釈しようとしている人が大半**です。前後の文脈も知らない、和歌の構造も把握していない、これじゃあ正しく解釈するのは無理だよ～。わかりやすいところから攻めていこう。手順をまとめておきます。

和歌の解釈は次の手順で解け。

① **和歌は和歌から考えるな！**
⬇直前・直後の文脈を確認（特に直前は超重要）
（「誰が」、「誰に」、「どうして」、「どんな状況で」、詠んでいるのかをしっかりチェック！）
⬇リズムで考えるのではなく、文法で考えて!!

② **普通文に改造せよ！**

（「終止形」「命令形」「終助詞」「係り結びの『結び』」などの下に句点「。」を打つ）

③ **最後に、修辞について考えよ！**

（「掛詞」「枕詞」「序詞」「縁語」が特に大事）

句切れがわかれば和歌解釈に一歩近づける

では、「**句切れ**」をちょっと練習しておこう。次の和歌は何句切れかわかるかな？

① 人はいさ　心も知らず　ふるさとは　花ぞ昔の　香ににほひける

② 都をば　霞（かすみ）とともに　立ちしかど　秋風ぞ吹く　白河（しらかは）の関

③ 心あらむ　人に見せばや　津（つ）の国の　難波（なには）わたりの　春のけしきを

全部三句切れだと思った人はリズムでやっているよ。リズムは文法で句点を打つこと!!

①

人はいさ　心も知らず。〔終止形！〕／ふるさとは　花ぞ昔の　香ににほひける

訳 人はさあ、どうだか気持ちはわからない。（だが）慣れ親しんだこの土地では、（梅の）花が昔のままの香りを放っていることだよ。

この歌には、打消の助動詞「ず」の**終止形**が二句末にあるね。よって**二句切れ**。

②

都をば　霞とともに　立ちしかど　秋風ぞ吹く。〔係り結び！〕／白河の関

訳 都を春の霞が立つとともに出発したが、早くも秋風が吹く（季節となってしまったことだ）。この白河の関に来てみると。

この歌では、係助詞の「ぞ」と四句末の「吹く」が**係り結び**になっているね。よって**四句切れ**。

③

心あらむ　人に見せばや。〔終助詞！〕／津の国の　難波わたりの　春のけしきを

訳 情趣を解する心があるような人に見せたいものだ。この津の国の難波あたりの春の様子を。

この歌には、**終助詞**「ばや」が二句末にあるね。よって**二句切れ**。

どうだい？　句切れを意識するだけで、難しそうな和歌も普通の文に見えてきたでしょう？

では、和歌をもうちょっと深く学んでみよう。

“表に景、裏に情！”

和歌を解釈するうえでおさえてほしいことが一つ。和歌は、**自然の景物などを表す**「景」と、**心情やメッセージを表す**「情」にあたる内容とが結びついてできているものが多いんだ。だから、**表面的に描かれている**「景」**の奥にある**「情」**は何かな？　って考えることが特に大事**。だからこそ スゴ技17 の①で言ったように、「**和歌の直前・直後の文脈**（＝**誰が、誰に、どうして、どんな状況で**）**をしっかり把握する**」ことが大切なんだ。和歌が詠まれるいきさつが理解できていないと、「情」の把握は難しい。登場人物の「情」を理解せずに和歌に突入したって苦戦するに決まっています。

そして、受験生を悩ます「和歌の修辞」も、この「景」と「情」に関係しているものが多い。まず、和歌に含まれるこの「景」「情」の両面を意識しながら読み解く習慣をつけよう。

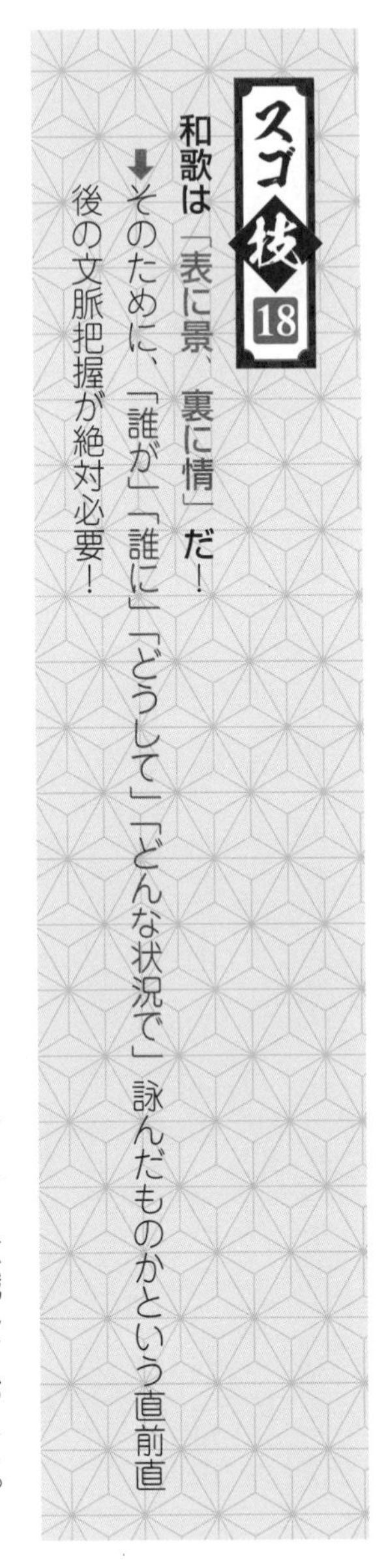

スゴ技 18

和歌は「表に景、裏に情」だ！

⬇そのために、「誰が」「誰に」「どうして」「どんな状況で」詠んだものかという直前直後の文脈把握が絶対必要！

これを理解するだけで和歌の「捉え方」がかなり違ってくると思うから意識しておこう。

それでは、次に「修辞」をおさえるよ。

頻出の修辞「掛詞」

さあ、それでは具体的な和歌の修辞を紹介しましょう。まずは掛詞から。

「掛詞（かけことば）」**とは、同音異義語を使って、一つの言葉に複数の意味をもたせる修辞のこと**。複数の意味をもっているわけだから、**訳す時にはすべての意味を訳出しないといけない**んだ（例外あり）。和歌の修辞の中では最も重要な修辞といってもよいもので**設問に絡（から）んでくる可能**

性大だ。必ずマスターしよう。

「う〜ん、掛詞の定義は知ってるんだけど、和歌の中にあるとパッと気づかないんだよね〜」という人にアドバイス。**掛詞を発見するコツ**はこちら。

① 頻出掛詞をおさえておく

掛詞って、同じようなものが**あちこちの和歌で「使い回し」されている**ことが多いんだ。だから、**よく出る掛詞をチェックしておく**のが賢い方法だよ。「頻出掛詞」は、どの文法書にも、高校で使われている「国語便覧」にも載っている。ザッと目を通しておくのがオススメ。**巻末資料に、僕が暗記をオススメする必修掛詞を15厳選して挙げておきます。**本番までにおぼえてね！

また、高校や予備校での授業で扱ったもの、模試や問題集で登場したものは記憶に残りやすい。せっかくだからおぼえてしまおう。**そのときおぼえた掛詞が、本番で出るかもしれないよ。**

② ひらがなの語句に着目してみる

複数の意味を表すため、掛詞になっている語句は**ひらがなで表記されていることが**結構多い。次の和歌を例にしてみよう。

秋の野に　人まつ虫の　声すなり　我かと行きて　いざとぶらはむ

訳 秋の野に人を待つという松虫の声がするようだ。私を待っているのかと、行ってさあ尋ねよう。

この**「まつ」は、「待つ」と「松」の掛詞。**異なる二つの漢字があてはまる「まつ」だから、ひらがな表記にしてあるんだ。

もちろん、助詞や助動詞はそもそもひらがなのはずだから、名詞や動詞を中心にチェックするといい。また、**必ずひらがなで表記されているというわけではないので注意。**ヒントにするくらいのつもりで考えてね。

③ 解釈が不自然になっている箇所に注意だ！

掛詞のパターンとして、ぜひ知っておいてほしいのがコレ。

次の和歌を例に考えてみよう。

霞立ち　木の芽もはるの　雪降れば　花なき里も　花ぞ散りける

訳 霞が立ち木の芽もふくらむ春の季節に雪が降ると、まるでまだ花の咲かないこの里にも花が散っているようだなあ。

この和歌は、こういう構造になっているんだ。

霞立ち　木の芽も【はる】の雪降れば　花なき里も　花ぞ散りける

（はる → 張る／春）

「木の芽もプックリふくらんで張る」という内容と、「春の雪が降る」という内容があるのがわかったかな？　**この二つの文脈を懸け橋のようにつなぎながら、文脈を転換しているのが「はる」という掛詞だ。**これを踏まえて、両方の意味を訳出しながら、解釈すればオッケーだ。

なお、**このタイプの掛詞の場合、二度訳してみて意味がつながるわけだから、一つの意味だけで解釈してしまうと、解釈がなんとなく不自然になる。**だから、ザッと訳してみて、意味がうまく通らない箇所は掛詞があるかもしれないぞと注意しておこうね！

④「語構成が完全一致」しなくてもオッケー

例えば、「生野（いくの）」（地名です）という掛詞には「**生野**」と「**行く**」という意味が掛けられる。

このように、**片方の意味が、語の一部だけに掛かるものもあるんだ。**

また、「**流る**」と「**泣かる**」(「泣く」＋助動詞「る」)のように、**二語以上にまたがってもよい**。さらに、この例でもわかるように、「**なかる**」と「**ながる**」は**清音と濁音の違いがあるけど、これも掛詞と認められる**。つまり、掛詞って、語構成や清濁音が「完全一致」していなくても許されるわけだから、頭を柔らか～くして考えよう。

⑤ 固有名詞に注意！

最後に、**最も警戒したいのが固有名詞、特に地名だ**。直前で話題になっている地名や人名があったら絶対にチェックすること。つまり、スゴ技17 ①「和歌の直前・直後の文脈をしっかり把握する」のが重要だということ！

> 大江山　いく野の道の　遠ければ　まだふみも見ず　天の橋立
>
> 訳 大江山を越えて生野へ行く道が遠いので、天の橋立はまだ踏んでみたことがなく、(母からの)手紙もまだ見ていません。

この和歌では、**地名「生野」の「いく」の部分に「行く」が掛かっているんだ**。「いく野」と「いく」がひらがなで書かれているのは、②で説明したとおり。

なお、この歌にはもう一つ掛詞がある。「**ふみ**」が「**踏み**」と「**文**（手紙）」の掛詞になっているんだ。

掛詞を発見するための注意点はココだ！

① **頻出掛詞をおさえておく。**
（「使い回し」が多いので、巻末資料や文法書にある一覧にザッと目を通しておくとよい）

② **ひらがなの語句に着目してみる。**
（ただし、必ずひらがなで表記されているわけではないので注意！）

③ **解釈が不自然になっている場所に注意!!**
（ザッと訳してみて意味がうまく通らない点に注意！）

④ **「語構成が完全一致」しなくてもオッケー。**
（語の一部だけを掛けたり、二語以上にまたがっていてもオッケー。清音・濁音の違いも許容）

⑤ **固有名詞に注意！**
（特に「地名」は掛詞になることが多い！）

では、掛詞のポイントをつかめたら、掛詞を指摘できるかどうか練習してみよう。

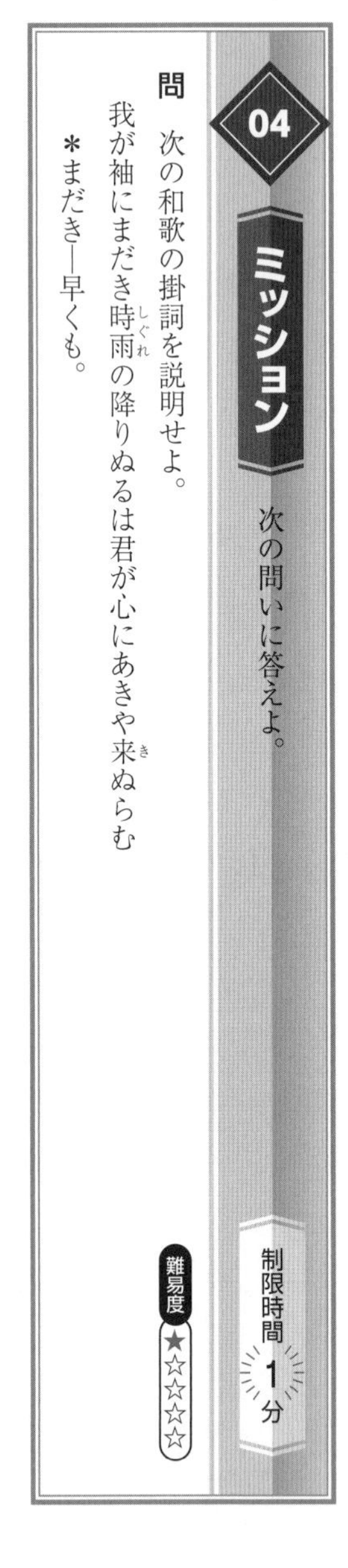

「時雨」って知ってる？ 「**晩秋から初冬にかけて降ったりやんだりする雨**」**のこと**。「まだき時雨の降りぬるは」（＝早くも時雨が降ったのは）と詠まれているけど、「あきや来ぬらむ」でわかるように、季節が「あき（秋）」の歌なんだね。

時雨は晩秋から降るものなので、「早くも時雨が降った」というわけだね。この「**表に詠まれている景**」**をおさえつつ**、「**裏の情**」**を読み取るのが和歌のスゴ技だったよね**

スゴ技18。じゃあ、詠み手の「情」を考えてみよう。

詠み手の「袖」に「時雨」が降っているというのは、どういうこと？ **古文で**「**袖が濡れる**」**というのは涙を流している時によく出てくる表現なんだ**。詠み手はなんで泣いているのかな？

「君が心に**あきや来ぬらむ**」と詠んでいるね。この「あき」は平仮名で書いてあるのがちょっとアヤシイね スゴ技19 。**そう、これが掛詞で、この「あき」には、季節の「秋」以外に「飽き」という「情」も掛けられているのだ。**つまり、それまで思い合っていた恋人の、一方の気持ちが冷めて「飽き」てしまったということ。**このように季節の「秋」と、「飽き」がよく掛けられる「あき」は「必修掛詞」**（巻末資料）**だよ。だから、男女の恋愛で、思いが冷めてしまったような歌に多く詠まれるんだ。和歌は情を捉えるのが一番大事。**この歌は、「あなたの私に対する心に『飽き』がきてしまっている」という情が詠まれていることがわかればオッケー。**この「情」が読み取れればこの和歌をほとんど理解したのと同じだよ。**「君」（恋人のことだね）の心を失った詠み手の「袖」に「時雨」が降っているというのは……、もうわかったね。これは恋人の愛情を失った人が詠んだ歌なんだ。答えは、「**『あき』が『秋』と『飽き』の掛詞**」。

訳 私の袖に、こんなに早く時雨が降ってしまったのは（＝涙で濡れているのは）、あなたの心に「秋」ならぬ「飽き」がきてしまっているのでしょうか。

枕詞は知識問題

じゃあ次は「枕詞（まくらことば）」にいこう。**「枕詞」とは、ある語句を導くために前に置かれる語で、**

五音のものが多い。調子を整えるために置くものだから**特に訳さないでいいんだ**。例えば、「あかねさす」は「日」を導く枕詞。「くさまくら」は「旅」を導く枕詞だ。どちらも訳出されません。

共通テストでは、枕詞が出るとしたら和歌の修辞についての説明問題に絡んでくる程度だと思われます。解釈は不要なので、有名なものだけをザッと巻末資料に挙げておきます。

“縁語は掛詞と密接な関係！”

「**縁語**（えんご）」**とは、和歌の中に、つながりをもつ語**（＝**縁のある語**）**を散りばめておく修辞**です。ある一つの名詞を中心として、関連語が和歌の中にあるって考えるとわかりやすいよ。そして、**掛詞となっている語の一方の意味が縁語になっていることが多い**んだ。

次の和歌を見てみよう。掛詞に気づくかな？

> いづくにか　今宵（こよひ）は宿を　かり衣（ごろも）　ひもゆふ暮れの　峰の嵐に

そう、宿を「かり衣」となっているから、「借り」と「狩衣（かりごろも）」（貴族の着るものです）の掛詞だとわかるね。

それから、「ひもゆふ暮れ」は、「日も」「夕暮れ」の意味だとわかるね。実は、この「日も」に「紐（ひも）」が、「夕」に「結ふ（ゆ）」が掛かって、掛詞になっているんだ。どうしてそれがわかるかというと、「狩衣」という名詞を中心に、「紐」や「結ふ」という「**衣服に縁のある語**」が和歌中に散りばめられていると考えられるからなんだ。

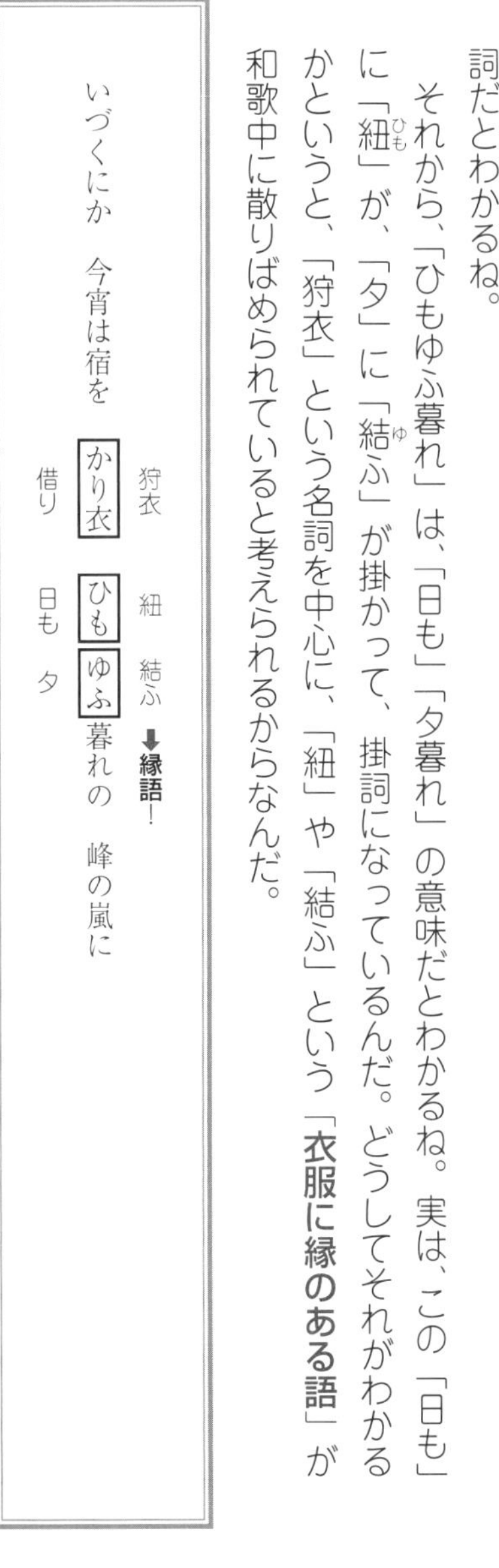

スゴ技20

掛詞の一方の意味が縁語になっていることが多い。

↓縁語が出題されたら、掛詞の箇所に着目するとヒントになる。

（逆に掛詞を探すときに、縁語がヒントになる。）

ここでちょっとアドバイス。掛詞を全部訳にモリモリ盛り込んでこの和歌を解釈しようとすると、何を言っているかわけのわからない訳になってしまわないだろうか？

「今夜はどこに宿を借りて狩衣の紐を結び日も夕暮れになった……」なんて訳したらわけがわからない！　これはどういうこと？　掛詞って両方の意味を訳すんじゃないの？

そう、**掛詞の一方が縁語になっている場合は、縁語になっているほうは無理に訳さなくてもいいのです。**この和歌でいうと、「狩衣」「紐」「結ふ」は、縁語でお仕事終了、と考えておこう。だから、意味（解釈）の世界には持ち込まないってわけ。

「どこに今夜は宿を借りたらよいのだろうか。もう日も夕暮れになり、峰には嵐が吹き荒(すさ)んでいるのに」とでも解釈しておけばオッケー！

掛詞の一方が縁語になっている場合、無理に訳出しなくてオッケー。

最後の難敵「序詞」

最後に、「序詞（じょことば）」を紹介しよう。

「序詞」とは、歌で訴えたい「情」の部分をより鮮やかに強調するための「序」（イントロ、前フリ）**になるもの**なんだ。ある語句を強調して導き出すんだけど、枕詞と異なり音節数が決まっていない（普通は**七音以上**だと思ってください）。

また、枕詞は特定の結びつく語が決まっていた（＝おぼえればオッケーだった）。だけど、序詞は詠み手が自由に創作することができ（つまり**枕詞のように暗記はできない**）、**しかも訳出する必要があるんだ。**

かつてのセンター試験では、「この和歌についての説明として正しいものを選べ」なんて、修辞を問われたことだってある。序詞も対策が必要だ。

序詞には三種類ある。それぞれ例を挙げながら解説しよう。

①比喩で導き出す「比喩型」

あしひきの　山鳥の尾の　しだり尾の　長々し夜を　ひとりかも寝む

この和歌で訴えたいことってなんだろう。山鳥のシッポのこと、じゃないよね。それは「景」だ。**訴えたいこと**（＝「**情**」）**は、後半の「長い長い夜をわびしくひとりで寝るのが寂しい！」だね。**この「情」へ切り替わる部分の最初「長々し」を強調するときに、**「比喩（ひゆ）」を使って訴えるパワーを大きくしている。**現代だと「象さんの鼻」「キリンさんの首」だろうか。古文の世界では、「山鳥のだらんと垂れ下がった尻尾」になるわけ。

「景」＝序詞　強調！　和歌で訴えたい「情」

あしひきの　山鳥の尾の　しだり尾の　長々し夜を　ひとりかも寝む

訳 山鳥のあの垂れ下がった尾のように、長い長い夜をただ寂しくひとりで寝るのかなあ。

②音を重ねて導き出す「同音繰り返し型」

駿河なる　宇津の山べの　うつつにも　夢にも人に　あはぬなりけり

この和歌の「情」はなんだろう。そう、これも**後半の部分**、**「現実（うつつ）でも夢でも恋しい人に会えないんだ」という部分**。ちょっと切ない「情」だ。

序詞が含まれる和歌の場合、**前半に前フリの「景」（つまりこの部分が「序詞」）、後半にメインである「情」（和歌で訴えたいこと）という構造になるよ**。これをつかんでおくとわかりやすい。

この「うつつ」の部分を引っ張り出してくるために、「宇津」という語（地名）を置いて、**音の繰り返しによる強調**を狙ったのがこのタイプ。

「景」＝序詞　強調！　和歌で訴えたい「情」

駿河なる　宇津の山べの　うつつにも　夢にも人に　あはぬなりけり

訳 駿河の国にある宇津の山、その「うつつ」ではないが、うつつ（現実）でも夢の中でもあなたに会わなかったことだよ。

③ 掛詞で導き出す「掛詞型」

風吹けば　沖つ白波　たつた山　夜半にや君が　ひとり越ゆらむ

「序詞」の最後は、掛詞を使って導くタイプのものだ。

この和歌の「情」はなんだろう。後半の部分に注目しよう。「**龍田山**（たつたやま）**を夜中にいまごろあなたが一人で越えているのだろうか**」と、**妻が夫を心配している歌**なんだ。この「龍田山」の部分を強調して引っ張り出してくるために、「**（白波が）立つ**」という掛詞を使っているんだ。

「景」＝序詞　強調！　和歌で訴えたい「情」

風吹けば　沖つ白波　たつた山　夜半にや君が　ひとり越ゆらむ

訳 風が吹くと沖の白波が立つ、その「立つ」ではないが、龍田山を夜中にいまごろあなたが一人で越えているのだろうか。

三タイプある「序詞」はわかったかな？

まとめると、序詞というのは、和歌で訴えたいこと（＝「情」）を直接表したものではなく、**「強調したい『情』を導き出すはたらきをしている部分」**だって考えちゃえばいい。

そして、「序詞」の部分は結局「景」なので、**和歌全体の「情」を把握するためには、後半部分で訴えていることをちゃんと捉える必要がある。**だから、共通テストで序詞が含まれる和歌の主旨を問われたら、後半が要注意だ。**後半の「情」を説明した選択肢を選ばないといけない。**くれぐれも、「景」である「序詞」を「訴えたいこと」だと勘違いしないように。

スゴ技 22

序詞は「和歌で強調したい『情』を導き出す前フリ」と心得よ。

① **比喩で導き出す「比喩型」**
② **音を重ねて導き出す「同音繰り返し型」**
③ **掛詞で導き出す「掛詞型」**

⬇和歌の主旨を問われたら後半が要注意だ。「情」を説明した選択肢を選べ！

和歌もこれだけやれば大丈夫。何度も読んで和歌に強くなれば、差をつけられるチャンス！

「敵」を知れば危うからず！共通テストの攻略法！

ここまで、まず身につけてほしい基礎事項を中心に説明してきました。

では、ここから「**共通テスト実戦編**」に移りましょう。そもそもみんなが受験する共通テストって、どういう形式で、どういうタイプの設問があるかってことを知ってる？　スポーツでも「敵」を知らないと、対策が立てられないよね。**じゃあ、共通テストってどんな試験**？　**どういう勉強をして対策を立てればいいの**？　というお話をしましょう。この章を読んでくれれば、今後の勉強にきっと役に立ちますよ。

共通テスト古文の注意点はこれだ！

共通テストの特徴はいくつもあるけど、注意するべき大きなポイントは以下の二点です。

①　読まなきゃいけない字数が多い！

本文の字数は多くの年度で一一〇〇字程度のことが多く、これは一般的な私立大や国公立大二次試験よりも長文です。それに加えて、資料や設問の選択肢を合わせると、四〇〇〇〜

五〇〇〇字程度の多くの文字数を読まないといけません。**時間配分に注意！**

② **一般的な大学入試とは違う変則的な出題！**

ちょっと古文がデキる受験生でも、共通テストは「解きにくい」「なんとなく苦手」と感じる人が多い。それは、設問の中で**教師と生徒が登場して対話しているのを読んだり、本文が二つあったり、「資料」などを読んだり**しなくてはいけないからなんだ。**そういう、一般的な入試問題とは違った「変則的な出題」に慣れること。**これが共通テスト対策で一番大事。

共通テストの設問形式をつかんでおこう！

じゃあ、共通テスト古文の設問は具体的にどういうものが並んでいるのかを見てみよう！

年度によって多少バラツキはあるけど、次のような順番になっていることが多い。

問１　語句問題
問２　文法を中心とした語句と表現の問題
問３　読解問題（内容把握）
問４　読解問題（対話文・資料問題）

問1は、短い語句の意味を現代語に訳す問題。この問題は例年出題されているよ。**どの問題も基本的な語句が中心。**しっかり語彙（ごい）力・文法力を身につけて、落とすことがないようにしよう。重要文法は2時間目・3時間目、重要語句は**巻末資料**を見ておこう。特にこの巻末資料の重要語句は、先輩たちが「スゴ技の中でも特に役に立った」と評価しているコーナーだよ。解き方は7時間目を読んでね。

問2は、語句や表現について正しい説明を選ぶ問題。この問題では、一か所の長い傍線部分について問う形式（「要素分解型問題」）のパターンと五か所の短い傍線部分について問う形式のパターンがある。**近年では、文法の比重が少し戻りつつあるので、文法事項や敬語の習得をおろそかにしないように。**2時間目・3時間目・4時間目を徹底理解しておこう。

問3からは、いよいよ本文内容に深く関わってくる問題が登場するよ。問3は本文内の内容をつかめているかを問う問題で、5時間目で学習した和歌の内容を問う問題や、幅広い部分から登場人物の言動などをちゃんと理解しているかなどが問われるよ。傍線部を解釈すれば解ける問題もあることはあるんだけど、**多くは本文内容を幅広くチェックしなければ解けないつくりになっている。**8時間目でやろう。

問4ではいよいよ「**変則的な問題**」が登場。**共通テストで最も頭を悩ませる問題なので、しっかり対策しよう。**近年は、問4の中に三つの問題が出題される（四択のことが多い）。ここでは、**本文についての教師と生徒の対話を読んで、適切な発言を空所に補充する問題や、資料を読みながら空所に適切な言葉を入れさせる問題**。また、**生徒どうしがディスカッションをしているのを読んで、正しい発言を選ばせる問題もあった**。特別な能力はいらないんだけど、不慣れな形式なので落とす受験生が多い。9時間目・10時間目でトレーニングしよう。

共通テスト古文はこうやって立ち向かえ！

では、本番ではどういう手順で読んで解いていけばいいのか。それを説明しよう。

スゴ技 23

① **リード文と注を必ず先に読む！**
② **読む前の設問チェックはザッと見るだけ！**
③ **「全文の完全理解」を目指すな！**

④ 本文では「主語」を意識して読む！
⑤「段落」を読み切ってから解く！
⑥ 過去問の本文を何度も読み直せ！
⑦ 最後の最後はとにかく単語をおぼえること!!

リード文と注を必ず先に読む！

本文を読み始める「前」に、必ず「リード文」（本文に入る前に現代語で書かれている、「次の文章は、●●物語の一節で、……している場面である。読んであとの問いに答えよ」と書かれているアレです）**と「注」に目を通そう。**注は、最初に目を通すことでどんな内容の本文なのかのヒントにもなるし、注のあとに人物関係図が書いてある時もあるんだ。それを見逃したら大損だよね。**時間配分が厳しいからといって慌てて本文を読み始めないこと**！リード文と注を読むことで、**読解する重要なヒント・前提が把握できます。**よく考えてほしい。そもそも、出題者はノーヒントで受験生に解いてほしいはず。でも、それじゃ受験生が解くことができないから、問題を解くために必要な「情報」を出しているわけです。つまり、

リード文や注は、ヒントになるだけでなく**「読まないことは危険な行為」**だとわかってください ね。

デキる受験生、解くのが速い受験生ほど、最初にリード文・注をしっかりチェックしている。やみくもに早く本文に入ろうとすることは、結局は二度手間になって決してスピーディーではないということを肝(きも)に銘じておこう!

読む前の設問チェックはザッと見るだけ!

受験生によく聞かれるのが、**「読む前に設問を見るのはどうですか?」**という質問。きっと設問からヒントが得られるのでは……? という気持ちで質問するのだと思います。これはとてもよいやり方ですが、注意点もあります!

僕自身、本文を読む前に設問をザッと見ることはよくやります。「どんな問題が出てくるんだろう」「手こずりそうな問題が出てくるんじゃないか……」そうやって、設問に関係しそうな情報を事前に頭に入れておくと、読む時のヒントを拾えることがある。**「この傍線部ではこういうことを問われるのか」「ここはこういうことに気をつけて読めばいいな」**なんて気をつけることができたら大きなサポートになるよね。

ただし、**選択肢の中身は先に読まないこと。**なぜなら、誤答の選択肢に目を通してしまうと、**間違った情報が先入観となり、それに振り回されて読解をミスリードする恐れがあるから**です。だから、**先に見るのは設問だけ、選択肢の手前までにしておきましょう。**間違った情報に引っ張られて誤読すると、話を勝手に作り変えちゃう恐れがあるから気をつけてね！

「全文の完全理解」を目指すな！

え、「完全理解を目指すな」ってどういうこと？　って思うかもしれません。

もちろん、理解できないより理解したほうがいいに決まっています。でも、**本文1行目から最終行まで、全文の内容を正確に解釈できるところまでいかなくても9割、いや満点だってとれます**（「読まなくていい」というインチキをいっているわけじゃありません。念のため）。

実は、共通テストの古文って隅々まで正確に読もうとすると、ものすごく難しいんだ。でも、共通テストの出題者が受験生に求めているのは、古典文学の研究者がやるような「読み」ではありません。**問題用紙に与えられた「情報」と、高校で学ぶ限られた「知識」を応用することで、「本文内容を誤らずに理解・検討できているか」を出題者は尋ねているんです。**

文系の人も理系の人も、限られた時間で共通テスト古文の対策をやらなくてはいけないのはみんな一緒です。そして、出題者もそれはわかっています！　だから、僕が言いたいのは、**「全文の完全理解」という高いゴールを設定するのではなく、「知識を使って問われたことに答えられればオッケー」**という目標を設定してほしいということ。

本文では「主語」を意識して読む！

共通テスト古文の長～い本文を読み進める時に、いくつか注意しておいてほしいことがあります。まず、「**主語を意識すること**」。古文の文章は、主語を省略して書いてあることが多いんだ。そのせいで、「えっと、これは誰の行動だっけ？」「誰の発言？」と迷ってしまいがち。だから、**本文を読む時には、必ず主語に意識を向けること**。それが正確な読解の基本ですよ。

おすすめのやり方は、出てきた人物名ごとに印を決めて（○とか△とか◇とか□など。本番ではカラーペンは使えないので、色ではなく印がよい）、**本文のセリフ箇所や気になる行動に、該当する人物の印をつけると視覚化されてパッとわかるようになるよ。**

主語を判断する際には、**①本文内の敬語（特に尊敬語）の使われ方**（4時間目）、**②助詞の「を」「に」「が」「ば」「ど」「ども」などに注目する**（1時間目）と効果的です。

「段落」を読み切ってから解く！

それから、共通テスト古文では、**設問を解くタイミング**も重要になってくる。傍線部が出てきたら解きたくなる気持ちはわかるけど、傍線部の後ろに解答の根拠があったら結局、二度手間だよね。そこで、**段落を読み切ってから解答すると決めておこう。**共通テスト古文は、内容が大きく切れるところできちんと段落分けがなされている。幅広く内容を問う設問でも、「この段落の内容はちゃんと把握できてる？」という意図で作られているものが多い。「**設問にぶつかってもその段落は読み切る！**」ことを意識しておこう。

過去問の本文を何度も何度も読み直せ！

この本を読んだあと、直前期にぜひやってほしいことがあります。過去問演習をしたあとに、**総仕上げとして何度も何度も本文を読み直してほしい**。できれば**声を出して**「**音読**」してほしい。その時に、最初は現代語訳が思い浮かばなくてもよいから（だって「完全理解は目指さなくてよい」だったよね）、「誰が主語？」ってことを意識しながら読んでほしい。最初はつっかえながらでもいいから、**何度も何度も音読していると**、あら不思議、**古文の内容が頭の中に入ってきて、単語や文法の理解も定着するよ。**音読って人前だと恥ずかしいかもしれないけど、自分の部屋や人のいないところで何度も何度もやっていると、**そのうち初見の文章を読む力も格段にアップします！**（これを僕は「古文脳になる」と呼んでいます。）手間もお金もかからない、とってもおすすめな方法なので、だまされたと思ってやってみよう。**単純だけど一番効果的、かつ、みんながなかなかやらないおトクな方法なので、スゴ技読者は絶対やってほしい。**

“最後の最後はとにかく単語をおぼえること!!”

「最後の最後は」とあるけど、もともと単語をおぼえることは古文の勉強で一番はじめにやるべきことです。そして、文法を学んだり、読み方を学んだり、演習したりして、あれこれ対策を立てたうえで、**結局は「読んだ量」と「単語力」が勝敗を分けます。**長〜い共通テスト古文では単語力の差はそのまま点数の差になって現れます！ **共通テスト対策は、単語に始まり、単語に終わる。**とにかく本番直前まで読みまくり、単語をおぼえまくりましょう。

「語句問題」に潜む意外な落とし穴！

「定番問題」対策を怠るな！

共通テスト対策の問題集や参考書などを読むと、「複数の本文を読解」「教師と生徒の会話文」など6時間目で説明した「変則的な問題」がクローズアップされている。たしかに、それらは共通テスト対策の目玉だ。でも、「変則的な問題」にばかりとらわれてしまって、**「いつの時代にも変わらずに出題されている問題」への対策をおろそかにしたらダメなんだ。**じゃあ、「いつの時代にも変わらずに出題されている問題」ってなんだろう。古文では**「語句問題」**のこと。かつての「センター試験」でも出題されていたし、その前身の「共通一次試験」時代でも出題されていた、**定番中の定番問題が「語句問題」**だ。

ただ、「語句問題」の出題のされ方も時代とともにちょっとずつ変わってきたので、注意が必要だ。例として2015年のセンター試験の問題を見てください。

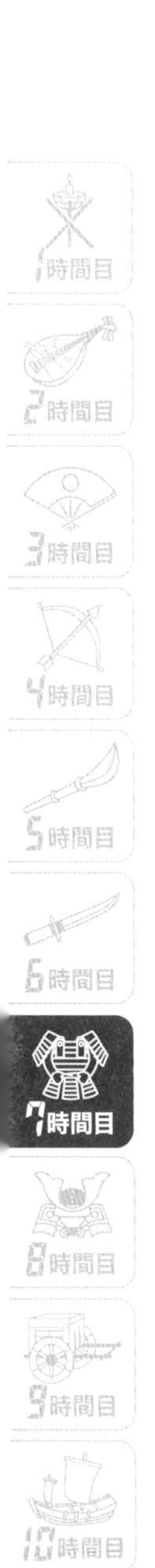

問　傍線部の解釈として最も適当なものを、次の①〜⑤のうちから一つ選べ。

御こころざしのになきさまになりまさる

① 帝のご愛情がこの上なく深くなっていく
② 帝のご寵愛（ちょうあい）がいっそう分不相応になっていく
③ 帝のお気持ちがいよいよ負担になっていく
④ 帝のお気遣いがますます細やかになっていく
⑤ 帝のお疑いが今まで以上に強くなっていく

正解は①

傍線部がかなり長い！「解釈問題」といってもいい問題だね。

では、2023年の共通テスト本試験の出題です。

(ア) やうやうさしまはす程に
① さりげなく池を見回すと
② あれこれ準備するうちに
③ 徐々に船を動かすうちに
④ 次第に船の方に集まると
⑤ 段々と演奏が始まるころ

(イ) ことごとしく歩みよりて
① たちまち僧侶たちの方に向かっていって
② 焦った様子で殿上人のもとに寄っていって
③ 卑屈な態度で良暹のそばに来て
④ もったいぶって船の方に近づいていって
⑤ すべてを聞いて良暹のところに行って

(ウ) かへすがへすも
① 繰り返すのも
② どう考えても
③ 句を返すのも
④ 引き返すのも
⑤ 話し合うのも

正解は(ア)③ (イ)④ (ウ)②

近年の傾向では、「長い解釈系の問題」よりも、「**基本重要古語をしっかりとおさえる**」「**二・三語程度の訳**」の対策が求められているようだね。

例年「語句問題」でポロッと取りこぼしをする人が多いから要注意！　配点はこれまで3割程度だったので、今後も同じくらいの割合だと考えられる。この問題が大きな差となるかもしれないよ。しっかりと対策をすることが必要だ！

“語句問題には二つのタイプがある”

語句問題の設問を分析してみると、次の二タイプに分けられていることがわかる。

語句問題の二タイプ

解釈型……「解釈」をするタイプ。文法や単語の訳を正確に行うことが求められている。
↓112ページ

知識一発型…基本単語や慣用表現、古文常識で解くタイプ。
↓123ページ

語句問題を正確に解くためには、どっちのタイプの設問かを見極め、ポイントを外さない解き方をしなければいけないんだ。

「解釈型」語句問題の考え方

では、まず「解釈型」語句問題の対策をしておこう。2014年のセンター試験に出題された『源氏物語』から。

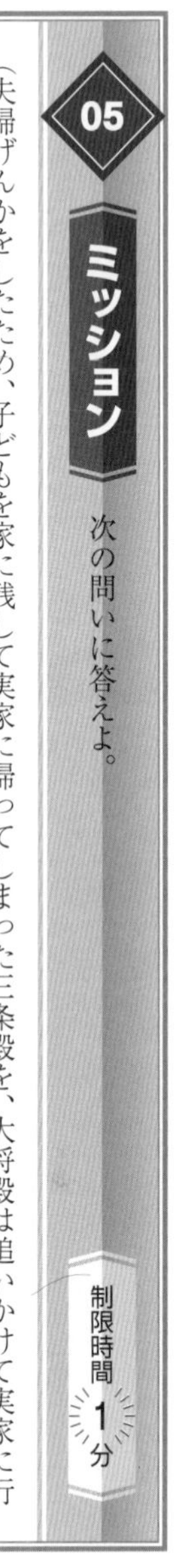

（夫婦げんかをしたため、子どもを家に残して実家に帰ってしまった三条殿を、大将殿は追いかけて実家に行くが三条殿は大人げない振る舞いをする。その子どもたちについて、大将殿が言っている場面）

かしこなる人々も、らうたげに恋ひ聞こゆめりしを、……

（注）かしこなる人々――邸宅に残された子どもたち

問　傍線部の解釈として最も適当なものを、次の①～⑤のうちから一つ選べ。

① いじらしい様子でお慕い申し上げているようだったが
② いじらしげに恋い焦がれているらしいと聞いていたが
③ かわいらしげに慕う人の様子を聞いていたようだが
④ かわいらしいことに恋しいと申し上げていたようだが
⑤ かわいそうなことに恋しくお思い申し上げているようだったが

まず、「恋ひ聞こゆ」に着目しよう。なぜかというと、「聞こゆ」は、「恋ひ」という動詞の直後についているので、謙譲語の補助動詞だとわかるからだ。こういうふうに**語句の問題で敬語が出題されたら、敬語に着目するのが大切。語句問題では、敬語が含まれる傍線部の場合、敬語の訳し方で選択肢を絞り込めるケースが多い。**この問題の場合、謙譲語の補助動詞の訳「〜申し上げる」の形になっているのは、①「お慕い申し上げている」と⑤「恋しくお思い申し上げている」だけ。**④は一見正しいように見えるが、「〜と申し上げていた」となっていて、これは、「言ふ」の謙譲語の訳し方（補助動詞でなく、本動詞）になっている。**

① いじらしい様子でお慕い申し上げているようだったが
~~②~~ いじらしげに恋い焦がれているらしいと~~聞いていた~~が

③ かわいらしげに慕う人の様子を聞いていたようだが
④ かわいらしいことに恋しいと申し上げていたようだが
⑤ かわいそうなことに恋しくお思い申し上げているようだったが

“「解釈型」に仕組まれているワナ”

さて、多くの人は問題を解くときにこう考えたのではないでしょうか？

「『らうたげに』か。『らうたし』『らうたげなり』は単語集で暗記したぞ。『かわいらしい』だよな、よっしゃ、③か④だな」

この解き方をしていると、いつまでたっても語句問題で落とすクセは治りませんよ～。

形容詞「らうたし」（形容動詞「らうたげなり」と意味はほぼ同じ）を辞書で調べると、たしかに「かわいらしい」「愛らしい」と書いてありますが、こんな説明も書かれている。

「手を貸していたわりたくなるようなかわいらしい様子」

「弱々しく無力なものをなんとかしてやりたいという気持ちが伴ったかわいらしさ」

「らうたし」「らうたげなり」はこんなニュアンスをもつ単語なんだ。**単語をおぼえるときに大切にしてほしいのは、この全体のイメージ・ニュアンスをつかむこと。**そのために必要な勉強は、意味だけを丸暗記したりゴロでおぼえたりするのではなく、語のもっているイメージ・ニュアンスをつかむように、辞書や単語集の**説明部分をしっかり吸収する**ことなんだ。学校や予備校の先生がよく「**辞書は引くのではなく、読みなさい**」と言うのは、こういうことを指しているんだね。

そうすると、この「らうたげに」の訳としては、「**いじらしい**」「**いじらしげに**」の①と②も候補に残ることがわかるだろう。「いじらしい」って、日々の生活ではあまり使わないかもしれないけど、「幼い子どもや弱い者などの振る舞いが、なんともあわれで同情したくなる感じである」ということ。選択肢の言葉の意味がわからないと厳しいね。

古文単語を「ただ訳を丸暗記すればいいや」と考えている受験生の勉強法に対して「ちょっと待て！」と言うために、こういう問題を出題者が作ったんだと僕は思います。

“「二段階攻撃」で攻めよう！”

さて、「聞こゆ」で①と⑤に絞り込みをかけたら、次はどこを見ようか？　実は、この「ど

こをチェックするか?」という意識がとても大切です。

かりに、文法「めり」「し」(「き」の連体形)で選択肢をチェックすると、どちらも婉曲・推定の「めり」(「〜ようだ」と訳します)、過去の「き」の解釈がされているので、**ここは勝負どころではない**ことがわかるよね。

そこで、先ほど話題に出た「らうたげに」を見てみよう。⑤の「かわいそうなことに」を切れば、答えは①と出るね。

ここでみんなに知っておいてもらいたいことは、**二つ以上の「チェックポイント(=出題意図)」を探し、二つ目のチェックポイントで選択肢を絞り、二つ目のチェックポイントで残った選択肢から解答を決定するというプロセス**です。逆に言うと、「解釈型」でたった一つの**情報を頼りに選択肢に飛びつくと、ワナにはまるリスクが高い**ということ。つまり、「**二段階攻撃」で解答を導け!** ということ。

どうしてかというと、**正確に解くため**ということと、**時間短縮にとても有効なやり方**だからです。高得点をとる受験生は自然とこのやり方が身についています。本書を読んでくれている皆さんも、ぜひ実践してみてください。

チェックポイントをしっかり見つけるためには、**選択肢の全体をザッと「鳥の目」で俯瞰し、「どの部分が出題意図なのかな?」という意識を常にもつこと**です。

よし、ではここで皆さんに実践してほしいことをまとめておこう。

「解釈型」は次の手順で解け。

① まず選択肢全体を「鳥の目」で見渡す。

② 問題に仕込まれた二つの「チェックポイント（出題意図）」を見破る。
（チェックポイントは「敬語」「重要単語」「助動詞・助詞の訳」を意識せよ！）

③ 一つ目のチェックポイントで選択肢を二つか三つに絞り込む。

④ 残った選択肢から、二つ目のチェックポイントで答えを決定する。（二段階攻撃）

⑤ 文脈判断は後回し！

このやり方をマスターすれば、万一、長めの傍線部が出題されても、落ち着いて解くことができますよ。

文脈判断もしなければいけない場合

では、「解釈型」の発展問題をやってみましょう。

06 ミッション

次の問いに答えよ。

制限時間 1分

（主人公の「帥の君」が右大臣の口添えにより大宰の帥に任官し、一家で九州に向かうことになった。主人公が大臣に別れの挨拶に訪れた場面）

大臣はかねて御心まうけありて、帥の君に名高き帯とかしこき御馬二つ、北の方にとて綾百疋、姫君の御料にとていと清らなる御衣一領、若君の御料をさへ細やかに心して奉り給ひて、童・下使ひなどまでに、禄どもあまたかづけ給ふ。

問 傍線部の解釈として最も適当なものを、次の①～⑤のうちから一つ選べ。

難易度 ★★☆☆☆

① 褒美の着物を次々と着せ掛けなさる

② 任官の俸給を十分に支給なさる

③　大宰府への伝言をあれこれとお託しになる
④　祝儀の品々をたくさんお与えになる
⑤　お祝いの衣装を何枚も重ね着なさる

では、解いていこう。傍線部「禄どもあまたかづけ給ふ」のチェックポイント（出題意図）ってなんだろう？　**この自問自答がとても大事です**。助動詞・助詞がないから文法はなさそうだね。おっと、「給ふ」があるな。おぼえていますか？　「**敬語に着目するのが大切！**」でしたね。残念ながら、ここではどの選択肢も尊敬語になっているので、敬語が出題意図ではありません。じゃあなんだ？　「禄」？　「あまた」？　「かづけ」？　こういうふうに、**選択肢全体ではなく、部分部分をチェックしていく心がけで解くことが大切です**。

“やってはいけない！　最悪の解き方”

ところで、こんな解き方をしてる人はいないかな？

「傍線部の前に、『童・下使ひなどまでに、』ってあるな。主語は大臣でしょ、童や下仕えの者たちが客体だから、ご褒美(ほうび)だろう。答えは①だ！」

こういうふうに、個々の語句の意味を考えないで「選択肢の内容が流れに一致してそう」という理由だけで答えを選ぶことは、絶対にやってはいけません。なぜなら、「文の流れにあてはめてうまく通るような誤答選択肢」を出題者は用意しているんだ。だから、文脈だけで解こうとするのは、愚の骨頂、出題者のひっかけに自分からハマりに行くようなものです。

“単語の意味も最後は文脈だ”

まず「禄」を考えてみようか。「禄」には、①給与、②褒美、③祝儀などの意味がある。そこで、③の「伝言」はおかしいぞということになるので、切ってしまおう。①「褒美」、②「俸給」（給料のことだね）、④「祝儀」、⑤「お祝い（の衣装）」、はオッケーだ。

ここで、おぼえておいてほしいことが一つ。**たとえ、どんなに内容的にしっくりくるものでも、辞書的な本来の意味にはない③「伝言」が、正解になることは絶対にない。**逆に①②④⑤のどれが正解かは文脈で判断すればいい。「辞書的な意味」で間違っているものを**そぎ落とし、次に文脈で合わせること。**

語句の意味は次の順序で考えよ。
①「辞書的な意味」で間違っているものをそぎ落とす。
②そのうえで文脈で考える。（＝傍線部の主体・客体を補って読む。）
※多義語は狙われやすいので注意！

文脈で考えると、主人公の帥の君は大臣に別れの挨拶に来ているわけだから、大臣が帥の君の童や下仕えの者に「褒美」をあげる理由はないし、「俸給」を払うのもおかしい。①と②も切れるね。こうやって、主体・客体の人物関係をしっかりと把握したうえで取り組むことも大切なんだ。**特に近年の語句問題では傍線部の主体・客体を補うと解きやすい問題が出現されている。**

①（×）~~褒美の着物~~を次々と着せ掛けなさる
②（×）~~仕官の俸給~~を十分に支給なさる
③（×）~~大宰府への伝書~~をあれこれとお託しになる

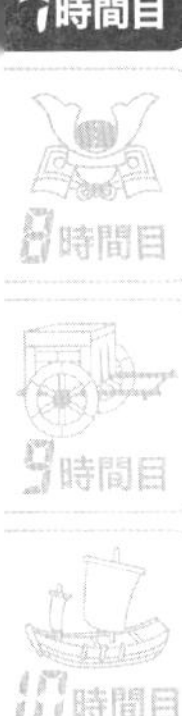

④ 祝儀の品々をたくさんお与えになる
⑤ お祝いの衣装を何枚も重ね着なさる

二つ目のチェックポイントとして、「かづけ」を考えましょう。「かづく」は四段活用と下二段活用の両方の活用をもつ動詞で、四段活用では①かぶる、②（褒美・引き出物などを）いただく、下二段活用では①かぶせる、②（褒美・引き出物などを）与える、という意味になる。

この「かづけ」は連用形（**補助動詞「給ふ」の上だから**）なので、下二段活用の「かづく」だとわかります。④は「お与えになる」ですが、⑤は「重ね着なさる」になっています。これで答えが出たね。正解は④だ。

文脈を捉えることも大切ですが、しっかりと重要単語の意味や文法・敬語も捉えましょう。**どこがチェックポイント**（＝**出題意図**）**になっているのかを見抜く力も**、**これらの基礎力があってのもの**です。だから、基礎力をつけることが、選択肢を選ぶ「うまさ」につながるんだよ。

知らないと解けない！「知識一発型」

最後に、「出題意図を考える」よりも、「知っているか知らないか」が勝負の分かれ目、「知識一発型」について軽く触れておきましょう。これは知識問題なので、日頃からおぼえるべきことをおぼえるのが一番の対策です。例を挙げてみましょう。

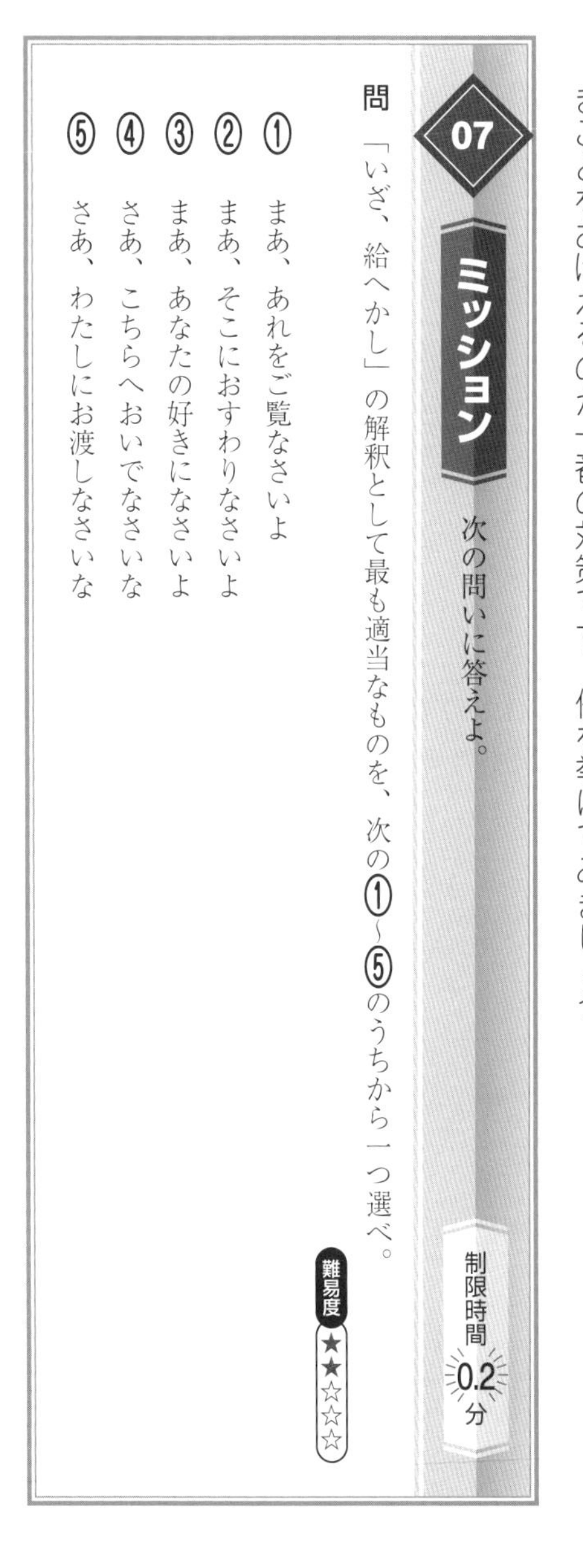

07 ミッション

次の問いに答えよ。

制限時間 0.2分

問 「いざ、給へかし」の解釈として最も適当なものを、次の①～⑤のうちから一つ選べ。

難易度 ★★☆☆☆

① まあ、あれをご覧なさいよ
② まあ、そこにおすわりなさいよ
③ まあ、あなたの好きになさいよ
④ さあ、こちらへおいでなさいな
⑤ さあ、わたしにお渡しなさいな

受験生だったら即答できないといけないよ！「いざ給へ」は「さあ、いらっしゃい」という意味だ。答えは④だね。

出たら危ない「知識一発型」の対策は、**とにかく知識を増やすこと**！これしかない。巻末資料にある単語は絶っ対におさえてね。

古典常識にも注意！

最後にもう一つやってみよう。

ミッション 08

次の問いに答えよ。

制限時間 0.5分

（病の床に臥していた筆者の娘がいよいよ臨終かというとき、周囲の人々に話しかける場面）

聞く人みな肝魂も消え失せぬ。いかなる岩木もえたふまじく、上中下声をあげて等しく、さと泣きけり。

問 傍線部の解釈として最も適当なものを、次の①〜⑤のうちから一つ選べ。

難易度 ★★☆☆☆

① どんな強情な人も、我慢できなくて

②　どんな頑強な人も、我慢できそうになくて
③　どんな薄情な人も、こらえることができなくて
④　どんな非情な人も、こらえられそうになくて
⑤　どんな気丈な人も、こらえきれなくて

この問題、「えたふまじく」の部分は、「我慢することができそうにない」という意味（「え〜**打消**」**は不可能の意味で、**「**まじ**」**は打消推量**）だから、②と④が残るね。

「二段階攻撃」の仕上げは、前半の「いかなる岩木も」。選択肢を見渡すと、「いかなる」は全部「どんな」だから、結局「岩木」しか聞いていない。

「**岩木**」**や**「**木石**」**は、**「**情をもたないもの**」**の比喩（ひゆ）表現**。単語集にはあまり載っていない語なので、これは**古典常識が問われている**といえるね。答えは④だ。


語句問題の解法、わかったかな？　**どこが出題意図なのかじっくり二段階攻撃で攻める**「**解釈型**」**タイプ**と、**知識をストレートにズバリ答える**「**知識一発型**」のどちらなのかを捉えて、この問題、今日からは満点を目指そう！

以下に、手順をまとめておくよ。

スゴ技26
「語句問題」を見極めよ。

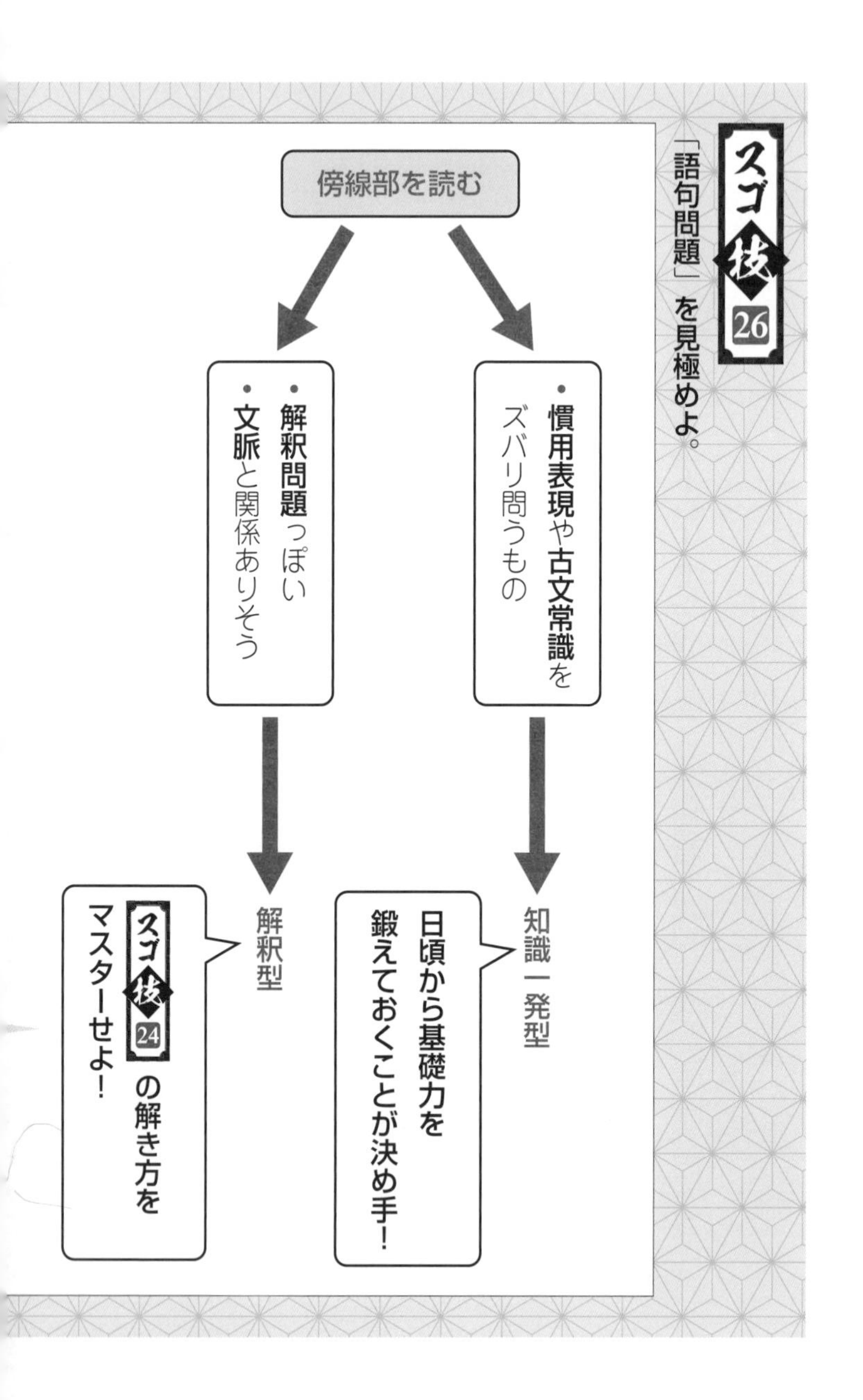

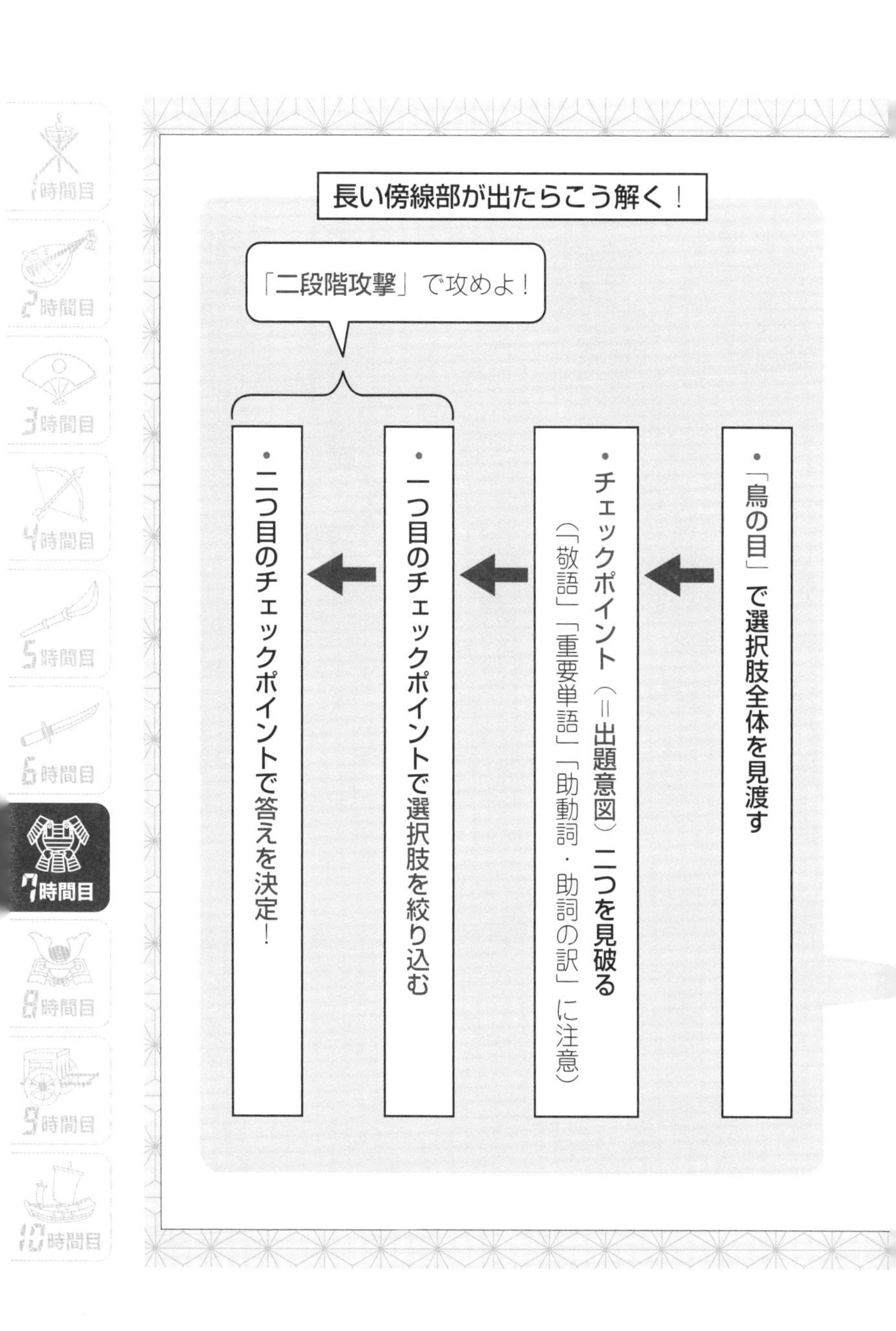
1時間目
2時間目
3時間目
4時間目
5時間目
6時間目
7時間目
8時間目
9時間目
10時間目
長い傍線部が出たらこう解く！
「二段階攻撃」で攻めよ！
・「鳥の目」で選択肢全体を見渡す
・チェックポイント（＝出題意図）二つを見破る
（「敬語」「重要単語」「助動詞・助詞の訳」に注意）
・一つ目のチェックポイントで選択肢を絞り込む
・二つ目のチェックポイントで答えを決定！

共通テスト形式を攻略せよ！その一（段落内容把握・人物把握・要素分解型）

“共通テスト形式に挑戦！”

では、いよいよ共通テスト古文で出題されそうな形式の対策をやっておきましょう！

まずは次の問題をやってみよう。**制限時間3分**で解いてみてください。

09 ミッション

次の問いに答えよ。

制限時間 3分

次の文章は『源氏物語』「手習（てならい）」巻の一節である。浮舟（うきふね）という女君は、薫（かおる）という男君の思い人だったが、匂宮（におうのみや）という男君から強引に言い寄られて深い関係になった。浮舟は苦悩の末に入水（じゅすい）しようとしたが果たせず、僧侶たちによって助けられ、比叡山（ひえいざん）のふもとの小野（おの）の地で暮らしている。本文は、浮舟が出家を考えつつ、過去を回想している場面から始まる。これを読んで、後の問いに答えよ。

あさましうもてそこなひたる身を思ひもてゆけば、宮(注1)を、すこしもあはれと思ひ聞こえけむ心ぞいとけしからぬ、ただ、この人の御ゆかりにさすらへぬるぞと思へば、(注2)小島の色を例に契り給ひしを、などてをかしと思ひ聞こえけむとこよなく飽きにたる心地す。はじめより、(注3)薄きながらものどやかにものし給ひし人は、この折かの折など、思ひ出づるぞこよなかりける。かくてこそありけれと聞きつけられ奉らむ恥づかしさは、人よりまさりぬべし。さすがに、この世には、ありし御さまを、よそながらだに、いつかは見むずるとうち思ふ、なほわろの心や、かくだに思はじ、など A心ひとつをかへさふ。

（注）1　宮――匂宮。
2　小島の色を例に契り給ひし――匂宮に連れ出されて宇治川のほとりの小屋で二人きりで過ごしたこと。
3　薄きながらものどやかにものし給ひし人――薫のこと。

問1　傍線部A「心ひとつをかへさふ」とあるが、ここでの浮舟の心情の説明として最も適当なものを、次の①〜⑤のうちから一つ選べ。　難易度★★★☆☆

① 匂宮に対して薄情だった自分を責めるとともに、現在の境遇も匂宮との縁があってこそだと感慨にふけっている。

② 匂宮と二人で過ごしたときのことを回想して、不思議なほどに匂宮への愛情を覚え満ち足りた気分に

なっている。

③ 薫は普段は淡々とした人柄であるものの、時には匂宮以上に情熱的に愛情を注いでくれたことを忘れかねている。

④ 小野でこのように生活していると薫に知られたときの気持ちは、誰にもまして恥ずかしいだろうと想像している。

⑤ 薫の姿を遠くから見ることすら諦めようとする自分を否定し、薫との再会を期待して気持ちを奮い立たせている。

“段落内容が広く問われる!!”

「ここでの浮舟の心情の説明」を尋ねているので「心情問題」だね。今までの心情問題は、傍線部の主語に該当する人物の、傍線部付近の行動を整理するのが一般的でした。でも、共通テストでは、傍線部付近だけでなく、**段落全体の情報をしっかりとおさえなくてはいけないんだ。**

本文の内容を現代語訳すると以下のとおり（内容をわかりやすくするために直訳でないところがあります）。

現代語訳

驚きあきれるほど台無しにしてしまった（自分の）身の上を思い続けていくと、匂宮を、少しでも愛しいと思い申し上げたような心が本当によくないことだ、ただ、この人とのご縁によって寄る辺ない身の上になってしまった（①）と思うと、匂宮に連れ出されて宇治川のほとりの小屋で二人きりで過ごしたことを、どうしてすばらしいと思い申し上げたのだろうかとすっかり嫌気がさしてしまった気持ちがする（②）。はじめから、淡々と穏やかでいらっしゃった人（＝薫君）について、このときはあのときはなど、思い出すことが格別にすばらしかった（③）。（自分が）このように生きていたのと（薫君に）聞き知られ申し上げるとしたら、その恥ずかしさは、ほかの人（に聞きつけられた場合）よりもきっと大きいに違いない（④）。そうはいってもやはり、この世では、かつての（薫君の）お姿を、せめて遠くからでも、いつ見ることができるだろうかと少しでも思うのは、やはりよくない心だなあ、このようにさえも思わないようにしよう（⑤）、などと<u>自分ひとりの心中で思い直す</u>[A]。

赤字の部分が選択肢の内容に絡む箇所だ。そう、ほとんどすべてだね。**共通テストでは、段落全体の内容を広く整理させる問題がとても多い**。この問題だって、「心情問題」の形で出題されているけど、要は内容把握だよね。だから「心情」ばかりを追いかけようとせず、行動や因果関係にも着目することが重要なんだ。そのことにも警戒しておこう。

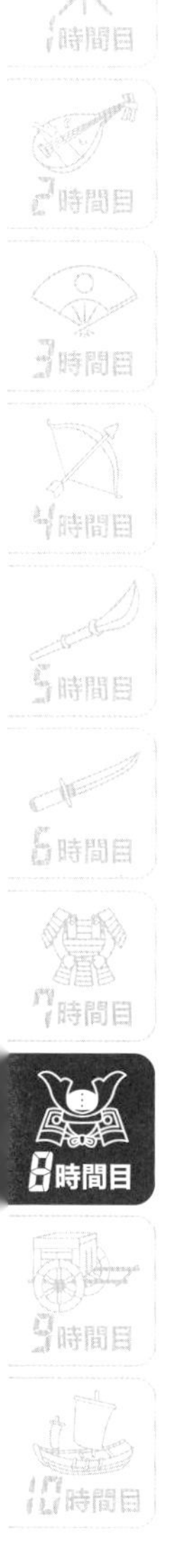

各選択肢の間違いポイントを追っておこう。**なんとなくの印象で解かずに、必ず根拠を本文から探して選択肢を切ること。**

① ×匂宮に対して薄情だった自分を責めるとともに、現在の境遇も匂宮との縁があってこそだと感慨にふけっている。

② 匂宮と二人で過ごしたときのことを回想して、×不思議なほどに匂宮への愛情を覚え満ち足りた気分になっている。

③ 薫は普段は淡々とした人柄であるものの、×時には匂宮以上に情熱的に愛情を注いでくれたことを忘れかねている。

④ 小野でこのように生活していると薫に知られたときの気持ちは、○誰にもまして恥ずかしいだろうと

想像している。

⑤ ×薫の姿を遠くから見ることすら諦めようとする自分を否定し、×薫との再会を期待して気持ちを奮い立たせている。

正解は、④。「聞きつけられ奉らむ恥づかしさ」というのは、「もし薫に知られたとしたら、恥ずかしい」という「仮定」を表すので注意。2時間目を思い出してほしい。**文中の「む」は、「婉曲」・「仮定」だよね。**文法は大事だよね。

ところで、不正解の選択肢の中で、①と③に注目してほしい。

① ×匂宮に対して薄情だった自分

③ ×時には匂宮以上に情熱的に愛情を注いでくれたことを忘れかねている

この部分は、「ここでの浮舟の心情」というより、「内容の説明」だよね。「心情問題」というと、「…な気持ち」「…な心情」に該当する箇所を本文の中から探そうとしてしまいがちだけど、必ずしもそういうわけではなく、**心情を直接表しているわけではない本文の内容や、因果関係なども選択肢のポイントになることが多い**ってことがわかったと思う。

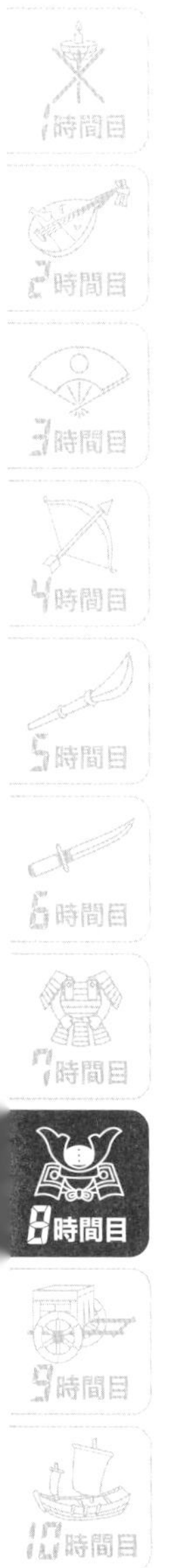

繰り返しますが、この問題では、段落全体の内容が広く設問に絡んでいます。**共通テストでは、段落内容を広く問う問題がよく出題されるという意識をもっておこうね！**

「狭い」心情問題の考え方

ところで「心情」「心境」などを問う問題には、傍線部の近く（＝「狭い」範囲）をチェックさせる問題も昔（共通テストがまだ「センター試験」と呼ばれていた頃ね）はよく出ていました。この問題についての解き方を知ると、共通テスト対策としてもいろいろヒントになるので、ちょっと考えてみよう。

次の問いを、本文を少し読み込んでから答えてほしい。制限時間は3分だ。

10 ミッション

次の問いに答えよ。

制限時間 3分

次の文章は、『兵部卿物語』の一節である。兵部卿の宮の恋人は宮の前から姿を消し、「按察使の君」という名で右大臣の姫君のもとに女房として出仕した。宮はそれとは知らず、周囲の勧めに従って右大臣の姫君と結婚した。以下の文章はそれに続く場面である。これを読んで、後の問いに答えよ。

宮つくづくと御覧ずるに、白菊の歌書きたる筆は、ただいま思ほし出でし人の、「草の庵(いほり)」(注)と書き捨てたるに紛(まが)ふべうもあらぬが、いと心もとなくて、「さまざまなる筆どもかな。誰々(たれたれ)ならん」など、ことなしびに問はせ給へど、うちそばみおはするを、小さき童女(わらは)の御前に候ひしを、「この絵は誰が書きたるぞ。ありのままに言ひなば、いとおもしろく我も書きて見せなん」とすかし給へば、「この菊は御前なん書かせ給ふ。『いと悪(あ)し』とて書き消させ給へば、わびて、按察使の君、この歌を書き添へ給うつ」と語り聞こゆれば、姫君は「いと差し過ぎたり」と、恥ぢらひおはす。

(注)「草の庵」と書き捨てたる――按察使の君が姿を消す前に兵部卿の宮に書き残した和歌の筆跡。

問 傍線部「恥ぢらひおはす」とあるが、この時の姫君の心情の説明として最も適当なものを、次の①～⑤のうちから一つ選べ。　難易度★★★★☆

① 宮に会うのを嫌がっている按察使の君の様子が気の毒なので、長々と引き止めてしまった自分を恥じている。

② 按察使の君の見事な筆跡に宮が目を奪われているのを見て、自分が描いた絵のつたなさを恥ずかしく思っている。

③ 白菊の絵をめぐるやりとりを童女が進んで宮に話してしまったので、自らの教育が行き届かなかったと恥じている。

④ 配慮を欠いた童女のおしゃべりのせいで、自分たちのたわいない遊びの子細を宮に知られて恥ずか

しく思っている。

⑤ 白菊の絵を置き忘れた按察使の君の行動が不注意にすぎるので、自分の女房として恥ずかしいと思っている。

よーし、「恥ぢらひおはす」だな。ということは、恥ずかしく思っているんだろう。……あれ？

① 宮に会うのを嫌がっている按察使の君の様子が気の毒なので、長々と引き止めてしまった自分を恥じている。

② 按察使の君の見事な筆跡に宮が目を奪われているのを見て、自分が描いた絵のつたなさを恥ずかしく思っている。

③ 白菊の絵をめぐるやりとりを童女が進んで宮に話してしまったので、自らの教育が行き届かなかったと恥じている。

④ 配慮を欠いた童女のおしゃべりのせいで、自分たちのたわいない遊びの子細を宮に知られて恥ずかしく思っている。

⑤ 白菊の絵を置き忘れた按察使の君の行動が不注意にすぎるので、自分の女房として恥ずかしいと思っている。

がーーん。全部「恥ずかしい」心情じゃないか……。うーん、よくわからないからテキトーにコレにしておこう、と解くと、出題者の思うツボ。さあ、「**解き方**」を考えていこう！

“実は「心情」なんて問われていない!?”

いいかな？　よーく考えてほしい。「恥ぢらひおはす」に傍線が引っ張ってあって、「恥ずかしい」という心情を導くことができない受験生がいるだろうか？（いや、いない。）

そう、**心情に傍線を引っ張って心情そのものを問うほど、大学入試は甘くないん**です。じゃあ何が問われているんだろうか。チェックしてみよう。

① 宮に会うのを嫌がっている按察使の君の様子が気の毒なので、／長々と引き止めてしまった自分を恥じている。

② 按察使の君の見事な筆跡に宮が目を奪われているのを見て、／自分が描いた絵のつたなさを恥ずかしく思っている。

③ 白菊の絵をめぐるやりとりを童女が進んで宮に話してしまったので、／自らの教育が行き届かなかったと恥じている。

④ 配慮を欠いた童女のおしゃべりのせいで、／自分たちのたわいない遊びの子細を宮に知られて恥ずかしく思っている。

⑤ 白菊の絵を置き忘れた按察使の君の行動が不注意にすぎるので、／自分の女房として恥ずかしいと思っている。

①③⑤が「〜ので」、④は「〜のせいで」で終わっているので、**理由を問われている**ことがわかる。②も心情にいたる理由を問われていることは同じだろう。すべての選択肢が因果関係で構成されているね。

そもそも文章は、心情を軸（じく）に考えると、次のようなつくりになっている。

理由 ある「心情」にいたることになった原因

↓

心情

↓

行動 その「心情」に基づく行動

すごく単純化した具体例を挙げると、

理由 合格通知をもらった
⬇
心情 うれしい！
⬇
行動 涙が出た

こんな感じかな。この例で考えると、本文内に「うれしい」と書いてある場合、「うれしい」に傍線を引っ張って「心情はなんですか？」という設問は無意味だよね。**理由**（「**合格通知をもらった**」）**をポイントにして選択肢を選ぶ問題が多い**ということなんだ。

逆に、心情（「うれしい」）がはっきりと書かれていない場合、**行動**（「涙が出た」）**や理由**（「合格通知をもらった」）**から、心情**（「うれしい」が正解、「悔しい」「悲しい」などはダメ）**を考える**パターンもあるんだ。

特に注意したいのは、「**理由**」**を読み取って解く**タイプの設問。**センター試験ではこの問題が何度か出題された。**今回の 10 ミッション もそうだね。

みんな「心情の説明として」とか「どのような気持ちか」と問われると、「『心情』が問われたぞ！『心情』を答えなきゃ！」って真正面から受け止めすぎなんですよね。でも実際は、10 ミッション のように「**心情把握問題のフリをした理由説明問題**」**だったりする。**

まずみんなにわかってほしいのは、この視点。**「因果関係」に着目するというちょっとしたアイデアを知っていれば**、**設問に対する構え方も全然違ってくる**でしょ？　「頭のいい人」って、実はこういう「目のつけどころ」のセンスがいいのです。だからみんなは、それをこの**「スゴ技」**でマネして解けばいいのです。**「スゴ技」は「天才だけができるスゴい技」ではなくて、「誰でも実践できる」から「スゴ技」なんですよ。**

では、心情把握問題の正解選択肢の上手な見方を、図で確認しよう。しっかりおぼえてね。

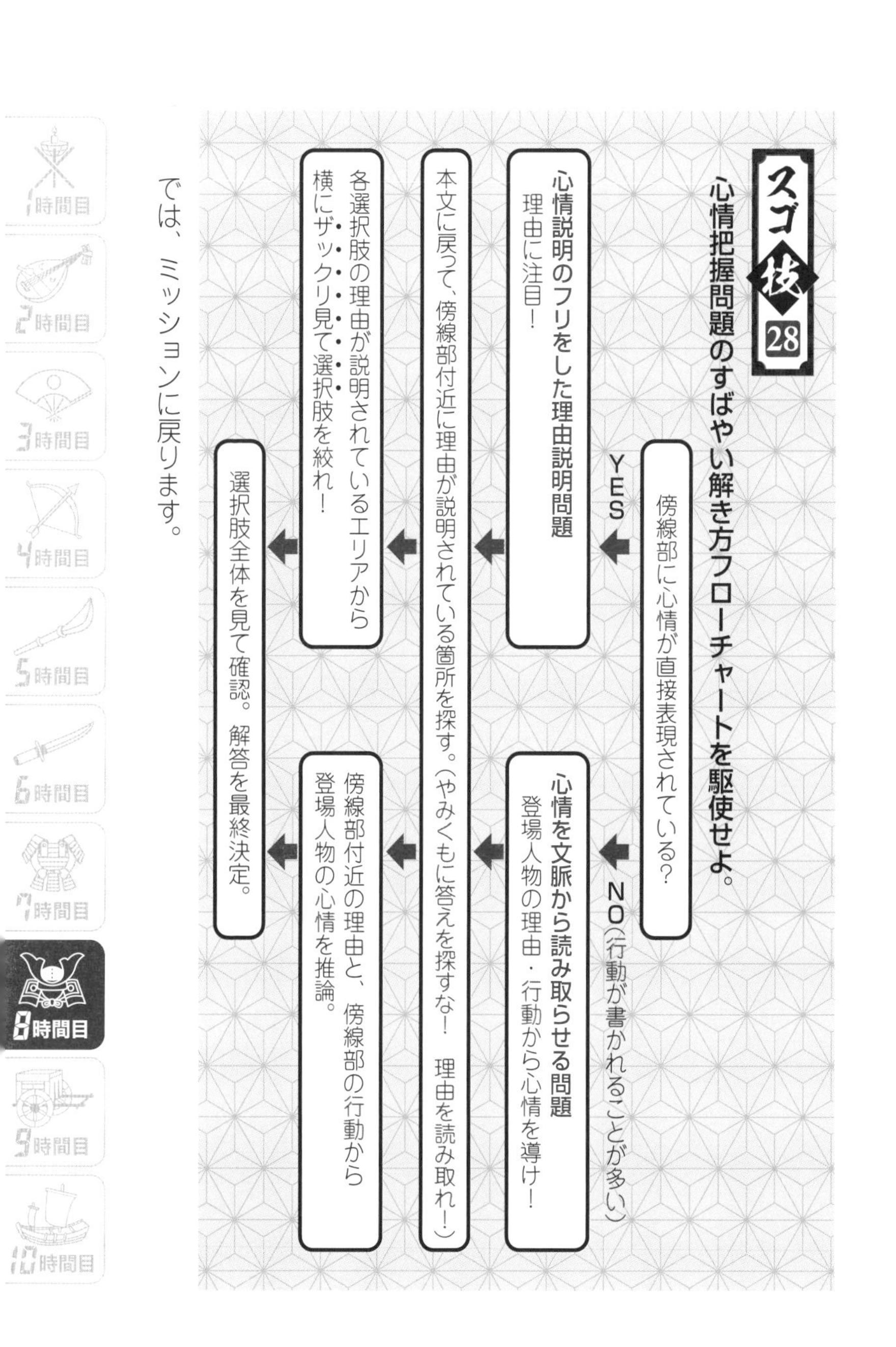

では、ミッションに戻ります。

現代語訳

兵部卿の宮がよくよく御覧になると、白菊の歌を書いた筆跡は、たった今思い出しなさった人が、（かつて別れのときに）「草の庵（いおり）」と書き残したときの筆跡と見間違えるはずがなく同じものであったが、あまりはっきりしないので、「いろいろな筆跡があるなあ。誰々のものなのだろう」などと、さりげない様子で質問なさるのだが、（姫君は）ちょっと横を向いていらっしゃるので、（宮は）小さい童女で姫君の御前にお仕えしていた子を、「この絵は誰が描いたのか。正直に言ったら、私もたいそう上手に描いて見せよう」とその気にさせると、（童女は）「この菊は姫君がお描きになりました。『本当に下手だ』とおっしゃって墨で塗りつぶしなさったので、困って、按察使の君が、この歌を書き添えなさったのです」と説明申し上げるので、姫君は「本当に出過ぎたことをして」と、恥じらいなさる。

“「理由」をチェック！”

傍線部「恥ぢらひおはす」の主語「姫君」の直前を見てみよう。「語り聞こゆれば」という「已然形＋ば」（〜ので）があるね。そうすると、解答の根拠は、「童女」が宮にペラペラと話してしまったということになるね。こうやって大筋を決めて選択肢チェックをしてみよう。今回のポイントは前半エリアだよ。

①（×）宮に会うのを嫌がっている按察使の君の様子が気の毒なので、長々と引き止めてしまった自分を恥じている。

②（×）按察使の君の見事な筆跡に宮が目を奪われているのを見て、自分が描いた絵のつたなさを恥ずかしく思っている。

③ 白菊の絵をめぐるやりとりを童女が進んで宮に話してしまったので、自らの教育が行き届かなかったと恥じている。

④ 配慮を欠いた童女のおしゃべりのせいで、自分たちのたわいない遊びの子細を宮に知られて恥ずかしく思っている。

⑤（×）白菊の絵を置き忘れた按察使の君の行動が不注意にすぎるので、自分の女房として恥ずかしいと思っている。

「童女が話してしまった」というたった一つのことを持ち込んで選択肢を見るだけで、全然違うでしょ？　大切なのは、「**何も考えないで選択肢を選ぼうとするな！**」ということ。そもそも「童女」を理由にしている選択肢は③と④だけだね。

因果関係で本文をより深く読める

ここまではオッケーかな？

どうして童女は、宮に絵遊びの内容を話してしまったのだろうか。現代語訳でチェックするよ。

（宮は）小さい童女で姫君の御前にお仕えしていた子を、「この絵は誰が描いたのか。正直に言ったら、私もたいそう上手に描いて見せよう」とその気にさせると、（童女は）「この菊は姫君がお描きになりました。『本当に下手だ』とおっしゃって墨で塗りつぶしなさったので、困って、按察使の君が、この歌を書き添えなさったのです」と説明申し上げるので、姫君は「本当に出過ぎたことをして」と、恥じらいなさる。

童女がペラペラとしゃべってしまったのは、宮が話すようにしむけたからだということがわかる。

宮が、「正直に言ったら、私もおもしろい絵を描いてあげるよ～」と童女をそそのかしたので、童女はうっかりしゃべってしまったというわけだ。

③ 白菊の絵をめぐるやりとりを童女が進んで宮に話してしまったので、自らの教育が行き届かなかったと恥じている。

④ 配慮を欠いた童女のおしゃべりのせいで、自分たちのたわいない遊びの子細を宮に知られて恥ずかしく思っている。

そうなると、③は「進んで」という点がおかしい。童女が積極的に話したのではなく、宮の作戦によって話してしまったわけなんだ。正解は④だね。

さあ、これで**因果関係に着目することの重要性**をわかってもらえただろうか。

人物を軸に内容を把握せよ!!

引き続き、「共通テスト対策」をどんどん進めましょう。先ほど読んでもらった『源氏物語』の続きです。次の問題を制限時間10分で解いてみてください。設問を二つ解いてください。**現代語訳は必ず解いたあとに見てね！**

9 ミッション

ミッション

次の問いに答えよ。

制限時間 10分

からうして鶏の鳴くを聞きて、いとうれし。母の御声を聞きたらむは、ましていかならむと思ひ明かして、心地もいとあし。供(注4)にてわたるべき人もとみに来ねば、なほ臥し給へるに、いびき(注5)の人はいととく起きて、粥などむつかしきことどもをもてはやして、「御前に、とく聞こし召せ」など寄り来て言へど、まかなひもいと心づきなく、うたて見知らぬ心地して、「なやましくなむ」と、ことなしび給ふを、強ひて言ふもいとこちなし。下衆下衆しき法師ばらなどあまた来て、(注6)「僧都、今日下りさせ給ふべし」、「などにはかには」と問ふなれば、「一品の宮の御物の怪になやませ給ひける、山の座主御修法仕まつらせ給へど、なほ僧都参り給はでは験なしとて、昨日二たびなむ召し侍りし。右大臣殿の四位少将、昨夜夜更けてなむ登りおはしまして、后の宮

の御文など侍りければ下りさせ給ふなり」など、いとはなやかに言ひなす。恥づかしうとも、あひて、尼になし給ひてよと言はむ、さかしら人すくなくてよき折にこそと思へば、起きて、「心地のいとあしうのみ侍るを、僧都の下りさせ給へらむに、(注7)忌むこと受け侍らむとなむ思ひ侍るを、さやうに聞こえ給へ」と語らひ給へば、ほけほけしううなづく。

(注8)例の方におはして、髪は(注9)尼君のみ梳り給ふを、B別人に手触れさせむもうたておぼゆるに、手づから、はた、えせぬことなれば、ただすこしとき下して、親にいま一たびかうながらのさまを見えずなりなむこそ、人やりならずいと悲しけれ。いたうわづらひしけにや、髪もすこし落ち細りにたる心地すれど、何ばかりもおとろへず、いと多くて、(注10)六尺ばかりなる末などぞうつくしかりける。筋なども、いとこまかにうつくしげなり。「かかれとてしも」と独りごちゐ給へり。

（注）
4 供にてわたるべき人――浮舟の世話をしている女童。
5 いびきの人――浮舟が身を寄せている小野の庵に住む、年老いた尼。いびきがひどい。
6 僧都――浮舟を助けた比叡山の僧侶。「いびきの人」の子。
7 忌むこと受け侍らむ――仏教の戒律を授けてもらいたいということ。
8 例の方――浮舟がふだん過ごしている部屋。
9 尼君――僧都の妹。
10 六尺――約一八〇センチメートル。

問3　この文章の登場人物についての説明として**適当でないもの**を、次の①～⑤のうちから一つ選べ。

難易度 ★★★☆☆

① 浮舟は、朝になっても気分が悪く臥せっており、「いびきの人」たちの給仕で食事をする気にもなれなかった。

② 「下衆下衆しき法師ばら」は、「僧都」が高貴な人々からの信頼が厚い僧侶であることを、誇らしげに言い立てていた。

③ 「僧都」は、「一品の宮」のための祈禱（きとう）を延暦寺の座主に任せて、浮舟の出家のために急遽（きゅうきょ）下山することになった。

④ 「右大臣殿の四位少将」は、「僧都」を比叡山から呼び戻すために、「后の宮」の手紙を携えて「僧都」のもとを訪れた。

⑤ 「いびきの人」は、浮舟から「僧都」を呼んでほしいと言われても、ぼんやりした顔でただうなずくだけだった。

問4　傍線部B「親にいま一たびかうながらのさまを見えずなりなむこそ、人やりならずいと悲しけれ」の説明として最も適当なものを、次の①～⑤のうちから一つ選べ。

① 「かうながらのさま」とは、すっかり容貌の衰えた今の浮舟の姿のことである。

② 「見えずなりなむ」は、「見られないように姿を隠したい」という意味である。

③「こそ」による係り結びは、実の親ではなく、他人である尼君の世話を受けざるを得ない浮舟の苦境を強調している。
④「人やりならず」には、他人を責める浮舟の気持ちが込められている。
⑤「『……悲しけれ』と思ひ給ふ」ではなく「悲しけれ」と結ぶ表現には、浮舟の心情を読者に強く訴えかける効果がある。

“傍線がない！”

問3は一見普通の問題のようだが、実はちょっと変わった特徴がある。そう、**傍線が引かれていない**。かつてのセンター試験では、最後の内容合致問題以外は傍線が引かれてあって、その近辺の解釈・内容説明を求めるのが一般的だった。でも、この問題では、「この文章の登場人物についての説明」を設問にしている。ということは、**全体を広く読み**、**そこに書かれていた人物像を理解したうえで**、**適切なことが書かれている選択肢を選ばなくてはいけないんだ**。

だから、「共通テスト」では、**選択肢の読み方のテクニックだけを磨いてもダメ**。それじゃ太刀(たち)打ちできません。しっかりと内容把握する努力を怠らないこと！

では、現代語訳を確認してみよう（内容をわかりやすくするために直訳でないところがあります）。赤字になっているところは、問3に関係している箇所です。

現代語訳

（浮舟は）ようやく（朝になって）鶏が鳴くのを聞いて、たいそううれしい。母のお声を聞いたとしたら、ましてどんなにうれしいだろうかと思いながら夜を明かして、気分もたいそう悪い。供として来るはずの人（＝浮舟の世話をしてくれる女童）もすぐには来ないので、まだ横におなりになっていると、いびきがひどい人（＝この庵に住む年老いた尼）はたいそう早く起きて、粥など（浮舟にとって見るのも）不快な朝食を盛んに褒めて、「あなた様も、早くお食べなさい」などと近寄って来て言うけれども、（浮舟は）給仕役の者もたいそう気に入らず、不快で経験したことがないような気持ちがして、「気分が悪うございますので」と、何気ないふりをし（て断り）なさるのを、無理に（食べるように）言うのも実に気が利かない。いかにも身分が低そうな法師たちが大勢来て、「僧都様は、今日（比叡山から）下山なさるにちがいない」、「どうして急に」と尋ねるようなので、「一品の宮が御物の怪で苦しんでいらっしゃったのを、比叡山の座主がご修法をして差し上げなさるけれども、やはり僧都様が参上なさらなくては効験がないということで、昨日再びお呼び出しがございました。右大臣殿の四位の少将が、昨夜、夜が更けて登っていらっしゃって、后の宮のお手紙などがありましたので（僧都様は今日比叡山を）下山なさるそうだ」などと、たいそう誇らしげに言い立てる。（浮舟は）恥ずかしくても、（僧都に）会って、ぜひ尼にしてしまってくださいと言おう、口出しする人が少なくてよい機会であろうと思うので、起きて、「ただもう気分がたいそう悪うございますので、僧都が下山なさっているような時に、仏教の戒律を授けてもらいたいと思いますので、そのように申し上げてください」と（浮舟が）相談なさると、（老いた尼は）ぼんやりとした様子で頷く。

（浮舟は）ふだん過ごしている部屋にいらっしゃって、（いつもは）髪は尼君だけが櫛をお入れになるので、ほかの人に手を触れさせるようなことも嫌なことに思われるが、自分ではまたできないことであるので、ほんの少し梳かし下ろして、親（＝母君）にもう一度このままの（＝出家する前の）姿を見せずじまいになってしまうようなことが、誰のせいでもなく自分の意志で出家するとはいえたいそう悲しい。重く患ったせいであろうか、髪も少し抜け落ちて細くなってしまった気持ちはするけれど、どれほども減っておらず、実に（髪が）豊かで、六尺くらいである毛先なども美しかった。髪の筋なども、とても細やかで美しい様子である。

（浮舟は）「このようであれと思って」と独り言を言って座っていらっしゃる。

人物に注目だ！

では解き方のポイントを教えよう。

まず、「なんとなくこんなこと書いてあったな～」という感じで、**絶対に雰囲気で選ばないこと**。細部まできちんと確認しないで進めるとひっかかるので注意！　共通テストでは、誤答選択肢の内容に近い記述が本文にあることが多い（ウソばかり書いてある誤答選択肢はほとんどない）。だから、**それぞれの選択肢の記述を本文に戻って照らし合わせること**が大

切！

そのうえで、その選択肢の記述が適切かどうかを考えるために必要なことは、**選択肢に登場する人物が出てくる箇所に注目**すること。

だから、読んでいるときに**主語や人物関係のメモを本文にちゃんと残すこと**が大切！　この作業を軽視しないように。素早く本文の該当箇所に戻るために絶対に必要な作業だよ。

それから、**チェックした選択肢のどこが○か×かをきちんと根拠をメモしておくこと**！

このメモ取りもすごく重要だ。

試験中、脳みそはフル回転しながらいろんなことを考えて、高速で処理している。このとき、**こういう「思考の痕跡を残す」ことができていると、ミスやスピードダウンを未然に防げるんだ。**

実は、できる人とできない人の差は、こういうちょっとした「手を動かすこと」をサボらずにやるかどうかなんだ。速く正確に解くことが求められているんだから、こういう作業はちゃんとやっておこう。模試や問題演習のときからクセをつけておくといいね。

傍線の引かれていない内容説明問題は、選択肢の人物に注目！

① 選択肢の中に登場する人物に印をつける。
② その人物が登場する本文の箇所に戻る。（本文を読むときに、**主語のメモ取り**を忘れない！）
③ 本文と照らし合わせて、必ず選択肢の不適切な箇所に×をつける。

じゃ、確認しよう。

各選択肢のポイントを追っておきます。**なんとなくの印象で解かずに、必ず根拠を本文から探して選択肢を切ること。**

① 浮舟は、朝になっても気分が悪く臥せっており、「いびきの人」たちの給仕で食事をする気にもなれなかった。

② 「下衆下衆しき法師ばら」は、「僧都」が高貴な人々からの信頼が厚い僧侶であることを、誇らしげに言い立てていた。

③ 「僧都」は、「一品の宮」のための祈禱を延暦寺の座主に任せて、浮舟の出家のために急遽下山することになった。

④「右大臣殿の四位少将」は、「僧都」を比叡山から呼び戻すために、「后の宮」の手紙を携えて「僧都」のもとを訪れた。

⑤「いびきの人」は、浮舟から「僧都」を呼んでほしいと言われても、ぼんやりした顔でただうなずくだけだった。

各選択肢内の人物をチェックといってても何人かいるので、主語の人物を中心にチェックして本文と照らし合わせよう。

①は現代語訳の1行目～7行目、②は9行目～13行目、⑤は14行目～16行目に注目すれば、適当だということがわかるだろう。④は、「下衆下衆しき法師ばら」の発言の中から、「右大臣殿の四位少将」「僧都」「后の宮」という人物について、関係を正しくおさえなくてはいけないのでちょっと難しい。**6時間目で注意したけど、読む時に主語を捉えることが大切だということを、せめて忘れないように!!**

③の選択肢は、現代語訳の9行目～10行目に書いてあるように、「一品の宮」のための祈禱は比叡山の座主では効果がなかったので僧都が呼ばれ、急遽(きゅうきょ)下山することになったことを思い出してほしい。僧都が一品の宮のために祈禱することは正しい、僧都が下山することも正しい、浮舟が出家しようとしているのも正しい。でも、「**浮舟の出家のために**」**という**

説明はおかしいよね。内容合致問題でよくあるけど、**因果関係にないAとBをツギハギして、「AだからB」「AのためにBをした」みたいなもっともらしい選択肢にするのは、出題者がひっかける常套手段だから気をつけよう。**

雰囲気で解いちゃいけないのはこういう問題があるからなんだ。「なんとなくこんなこと言ってたな」で解く人はこういう問題を必ず間違える。ウソばかり書いてある選択肢にひっかかる受験生はあまりいない。でも、本文に内容がちょっとでもかすっていると、ひっかかりやすいんだ。正解は③。

内容把握問題では、関係のない二つのものを因果関係にした「ツギハギ選択肢」を見破れ！

“本文内容をまとめる力が必要だ”

ところで、④の選択肢を見てほしい。④は、現代語訳の9行目～13行目に書いてあるよ

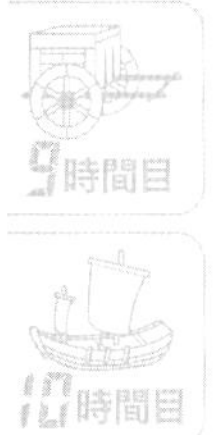

うに、一品の宮のための祈禱は比叡山の座主では効果がなかったので、四位の少将が后の宮からの手紙を持参し僧都を呼び出し、僧都は急遽下山することになったという内容をまとめている。

このように、④は本文の内容そのままではなく、やや抽象度の高い「**編集された情報**」になっていることに注意。共通テストは、本文が複数になるなど本文のボリュームが多くなるため、逆に選択肢は昔に比べるとボリュームダウンしている。そのため、選択肢の内容が、本文そのままではなく「編集された抽象的な説明」になっているんだ。**共通テストでは、段落内容をまとめるトレーニングをするといい対策になる**から、常に意識をもっておこうね!

本番対策に段落内容をまとめるトレーニングをやること

そして、この問題も「人物把握問題」という形式はとっているものの、**結局は「段落内容把握問題」に過ぎなかった**ということはわかってくれたかな?

だから、古文読解の対策として「**段落内容をまとめるトレーニング」をするととってもよいトレーニングになるからやっておこう。**最初は、現代語訳を見ながらでも構わない。一段落ごとに内容をつかむトレーニングができるようになると、本文全体にステップアップできるよ。常に意識しておこうね！

「要素分解型」の問題では、文法をやってない人は痛い目にあう！

では、問４に行こう。

問４の傍線部はずいぶん長いね。これは一つの長い傍線部分について、その中に含まれる文法や単語や表現などなんでも問うタイプの問題（これは**「要素分解型問題」**と呼ばれます）なんだ。**文法や敬語はこの中で問うてくることが多い。**共通テストでよく出るので、準備しておいたほうがいいでしょう。

最初に言っておくと、この問題は特別な解き方があるわけではありません。ただ、「こういう出題形式でくるゾ」と知っておけば、本番で落ち着いて取り組めるはず。問題を見てみよう。選択肢によって狙いが違うことがわかるかな。赤字で示したのが各選択肢の狙いだ。

①「かうながらのさま」とは、すっかり容貌の衰えた今の浮舟の姿のことである。
↓指示語の内容説明
②「見えずなりなむ」は、「見られないように姿を隠したい」という意味である。
↓「見ゆ」の意味（単語）、「なむ」の識別（文法）
③「こそ」による係り結びは、実の親ではなく、他人である尼君の世話を受けざるを得ない浮舟の苦境を強調している。
↓「こそ」の用法（文法）
④「人やりならず」には、他人を責める浮舟の気持ちが込められている。
↓「人やりならず」の意味（連語）
⑤「『…悲しけれ』と思ひ給ふ」ではなく「悲しけれ」と結ぶ表現には、浮舟の心情を読者に強く訴えかける効果がある。
↓表現の効果

②③④は、単語力・文法力を駆使して解くということがわかっただろうか。

②の「見ゆ」は「**姿を見せる**」という意味をもっているし、「なむ」は連用形に接続しているので、終助詞ではなく、**助動詞**「**ぬ**」＋**助動詞**「**む**」だ。この「む」は婉曲・仮定の意味。2時間目・3時間目の文法でやったよね。「見られないように姿を隠したい」は誤り

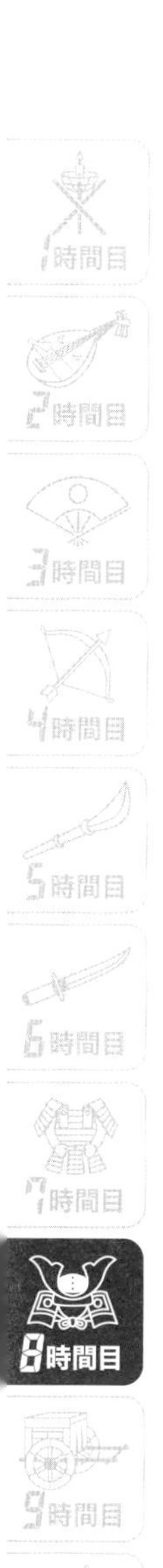

だね。

③は係り結びの「こそ」だ。「こそ」が強調というのはいいのだが、強調されている内容が違う。傍線部の「親にいま一たび……見えずなりなむ」の「む」は連体形で、直後に「こと」などを補って主語のカタマリを作る。1時間目でやったことを思い出して！　カタマリの内容は、「親（＝母君）にもう一度このままの（＝出家する前の）姿を見せずじまいになってしまうようなこと」だから誤りだね。

④は、「人やりならず」という連語を知っていれば問題ない。「（**誰のせいでもなく**）**自分のせいだ**」「**自分の意志で**」という意味。よって、「他人を責める浮舟の気持ち」が誤りだ。

どうだい？　②③④の実態は単純な文法・単語の問題だということがわかるだろう。むしろ**文法・単語の知識で**「**最初に**」「**確実に**」**選択肢を切ることが求められているんだ**。だから、「**共通テストは文法は出ないからいいや**」**という態度で臨むと痛い目にあう**。ストレートな文法問題は出題されなくても、こうやって文法を問うてくるから**文法は絶対におさえること**！

「要素分解型問題」では、まず文法・単語で選択肢を切ること‼

では、①に戻ります。①の「かうながらのさま」（＝このままの姿）が指す内容は、「出家する前の姿」。だから、「すっかり容貌の衰えた今の浮舟の姿」が不適切だね。指示語の問題だ。

⑤は特に誤りの箇所はない。でも、これを「正解だ！」って即断するのって難しくない？

このように、**一つひとつの選択肢の正誤を判定させるような問題（全体内容合致や表現の効果を問う問題）は消去法も併用すること。**

特に、表現の効果を問うような選択肢の場合、客観的に○×の判定ができるような選択肢を並べると問題レベルが簡単になりすぎてしまう。だから出題者は（時に主観に関わるような）微妙な選択肢も混ぜておく。**そういう設問は保留にしておこう。**こういう問題のときは、**「誰がどう見ても客観的に見て誤りだ！」と言えるものをどんどん切っていくこと。**つまり、しつこいようだけど、文法・単語で切れ！ってこと。そして、傷のない選択肢を適当だと判断すればよい。正解は⑤。

スゴ技 32

正誤判定・表現の効果を問う設問は消去法！

⬇表現に関わる部分は判断を保留して、「誰がどう見ても誤り」の選択肢を切って正解を出す！

新しいタイプの問題が出ても落ち着いてやれば大丈夫！　それから、語彙・文法の重要事項は本番直前まで繰り返しやろう！

共通テスト形式を攻略せよ！その二（対話文・複数本文）

いよいよ「共通テスト対策」の最大のヤマ場です。共通テスト古文は、一般入試とはちょっと違う形式で出題してくる。特別な能力はいらないけど、不慣れだと時間ばかりかかってしまうので要注意。特にここでは、より具体的な対策を説明するので、よく読んでほしい。

では、出題例を詳しく見てみよう。まずは次の問題を解いてほしい。の続きだよ。

12 ミッション 次の問いに答えよ。 制限時間 5分

問5 次に掲げるのは、二重傍線部「かかれとてしも」に関して、生徒と教師が交わした授業中の会話である。会話中にあらわれる遍昭（へんじょう）の和歌や、それを踏まえる二重傍線部「かかれとてしも」の解釈として、会話の後に六人の生徒から出された発言①～⑥のうち、適当なものを二つ選べ。ただし、解答の順序は問わない。

難易度 ★★★☆☆

生徒　先生、この「かかれとてしも」という部分なんですけど、現代語に訳しただけでは意味が分からないんです。どう考えたらいいですか。

教師　それは、

　たらちねはかかれとてしもむばたまの我が黒髪をなでずやありけむ

という遍昭の歌に基づく表現だから、この歌を知らないと分かりにくかっただろうね。古文には「引き歌」といって、有名な和歌の一部を引用して、人物の心情を豊かに表現する技法があるんだよ。

生徒　そんな技法があるなんて知りませんでした。和歌についての知識が必要なんですね。

教師　遍昭の歌が詠まれた経緯については、『遍昭集』という歌集が詳しいよ。歌の右側には、

　なにくれといひありきしほどに、仕まつりし深草の帝隠れおはしまして、かはらむ世を見むも、堪へがたくかなし。蔵人の頭の中将などいひて、夜昼馴れ仕まつりて、「名残りなからむ世に交じらはじ」とて、にはかに、家の人にも知らせで、比叡に上りて、頭下ろし侍りて、思ひ侍りしも、さすがに、親などのことは、心にやかかり侍りけむ。

と、歌が詠まれた状況が書かれているよ。

生徒　そこまで分かると、浮舟とのつながりも見えてくる気がします。

教師　それでは、板書しておくから、歌が詠まれた状況も踏まえて、遍昭の和歌と『源氏物語』の浮舟、それぞれについてみんなで意見を出し合ってごらん。

①　生徒A――遍昭は、お仕えしていた帝の死をきっかけに出家したんだね。そのときに「たらちね」、つ

まりお母さんのことを思って「母はこのように私が出家することを願って私の髪をなでたに違いない」と詠んだんだから、遍昭の親は以前から息子に出家してほしいと思っていたんだね。

②生徒B――そうかなあ。この和歌は「母は私がこのように出家することを願って私の髪をなでたはずがない」という意味だと思うな。出家をして帝への忠義は果たしたけれど、育ててくれた親に申し訳ないという気持ちもあって、だから『遍昭集』で「さすがに」と言っているんだよ。

③生徒C――私はAさんの意見がいいと思う。浮舟も出家することで、遍昭と同じくお母さんの意向に沿った生き方をしようとしているんだよ。つまり、今まで親の期待に背いてきた浮舟が、これからの人生をやり直そうとしている決意を、心の中でお母さんに誓っていることになるね。

④生徒D――私も和歌の解釈はAさんのでいいと思うけど、『源氏物語』に関してはCさんとは意見が違う。薫か匂宮と結ばれて幸せになりたいというのが、浮舟の本心だったはずだよ。自分も遍昭のように晴れ晴れした気分で出家できたらどんなにいいかという望みが、浮舟の独り言から読み取れるよ。

⑤生徒E――いや、和歌の解釈はBさんのほうが正しいと思うよ。浮舟も元々は気がすすまなかった、親もそれを望んでいない、それでも過去を清算するためには出家以外に道はないとわりきった浮舟の潔さが、遍昭の歌を口ずさんでいるところに表れているんだよ。

⑥生徒F――私もBさんの解釈のほうがいいと思う。でも、遍昭が出家を遂げた後に詠んだ歌を、浮舟は出家の前に思い起こしているという違いは大きいよ。出家に踏み切るだけの心の整理を、浮舟はまだできていないということが、引き歌によって表現されているんだよ。

「対話文」が登場

問5を開いた瞬間に戸惑いをおぼえた人も多いと思う。

まず、パッと目につくのが、「教師」と「生徒」の対話だ。しかも、その中身を読んでみると、**この中に別の「古文」がある。**それも読まなくてはいけない。だから、本文の長さがとんでもなく長いわけではないんだけど、この対話文や「もう一つの古文」を読まなくてはいけないから大変だ。こんなに大量の「情報」を読みこなすことを出題者は求めている。

「対話文問題」の設問として典型的なのは、本文のどこかに二重傍線部が引かれていて、**それについて「生徒」が質問した内容を、「教師」が解説**する。その「**教師」の解説の中に、「古文」が引用され**、それらを踏まえたうえで本文と合わせて検討する、という問題である。

一般入試ではほとんど見られないタイプの問題なのでびっくりしたかもしれないけど、**中身は難しい問題じゃないから怯（ひる）まないこと**！　まずは何が問われるのか知っておこう。

見慣れない問題だけど心配しなくて大丈夫！

じゃあ、会話文を見てみよう。「生徒」が「かかれとてしも」について質問している。それに対して、「教師」が、

> **教師**　それは、
> たらちねはかかれとてしもむばたまの我が黒髪をなでずやありけむ
> という遍昭の歌に基づく表現だから、この歌を知らないと分かりにくかっただろうね。古文には「引き歌」といって、有名な和歌の一部を引用して、人物の心情を豊かに表現する技法があるんだよ。

と答えている。この「教師」が言っている「引き歌」**という表現技法は絶対におさえよう**！

共通テストで出題される可能性が高い重要事項だ。

“「引き歌」ってなんだ？”

「引き歌」を辞書で調べると、「古歌やその一部を、後人が自分の詩歌・文章に引用すること。

また、その歌。」（デジタル大辞泉）と書いてあります。もっと噛み砕いて説明すると、「有名な古歌を後の時代の人が自分の文章などに利用して、心情・意味を借りる」技法だと思ってくれればわかりやすいね。**多くの場合、伝えたい内容は引用されていない部分のほうなんだ。**つまり、「**文章の中にある古歌の一部を引用することで、引用されていないほかの部分を暗示する技法**」といってもいいね。

引き歌で用いられている古歌は、昔の人なら誰でも知っているような有名な古歌なんだ。だって、超マイナーな歌を引用しても読み手には伝わらないでしょ？　だから、**昔の人にとってはメジャーな歌。でも、現代人には**（**専門家でもない限り**）**そんな歌わからないよね。**この二重傍線部を見て、「ああ、これは遍昭の和歌だよね」とわかる人なんて専門家レベルだ。一般の受験生なら、会話文の「生徒」のように、「なんだこの表現？」となってわけがわからなくなってしまうよね。**だから、引き歌表現には必ずといっていいほど注がつく。**必ず注をチェックしよう。ただし**共通テストの場合、「教師」の説明が注の役割を果たすケースも考えられる**から、「教師」の発言にも注意しながら元の歌を必ず確認しておこう。

引き歌が出た場合、とにかく**元の歌を解釈すること**（ザックリでオッケー）。そして、**そこで読み取れた心情・意味を本文の「引き歌」表現の箇所に代入すればいいんだ。**

「対話文」に戻ろう。

教師　それは、
たらちねはかかれとてしもむばたまの我が黒髪をなでずやありけむ
という遍昭の歌に基づく表現だから、……

とあるので、「かかれとてしも」以外（＝傍線部分）に気をつけながら、全体を解釈しよう。
「たらちね」は「母親」、「かかれ」は「このようであれ」、「むばたまの」は「黒髪」を導く枕詞だから訳さない、「なでずやありけむ」の「ず」は打消の助動詞、「けむ」は過去推量の助動詞なので（知らない人は文法書でチェック！）「なでなかっただろう」、よって、「母親はこのようであれと思って、私の黒髪をなでなかったであろう」という意味になるよ。

じゃあ、「このようであれ」ってなんだろう。そこで、5時間目の講義を思い出して！「和歌は和歌から考えるな」だったね。和歌が詠まれた背景を、「教師」の説明から読み取ろう。

「元の歌」の詠まれた状況を「教師」の発言からチェック！

「教師」が引用した『遍昭集』には、この和歌が詠まれた状況がこのように書かれている。

> なにくれといひありきしほどに、仕(つか)まつりし深草(ふかくさ)の帝(みかど)隠れおはしまして、かはらむ世を見むも、堪(た)へがたくかなし。蔵人の頭の中将などいひて、夜昼馴(な)れ仕まつりて、「名残りなからむ世に交(ま)じらはじ」とて、にはかに、家の人にも知らせで、比叡(ひえ)に上りて、頭下(かしら)ろし侍りて、思ひ侍りしも、さすがに、親などのことは、心にやかかり侍りけむ。

現代語訳

なんやかんやと言い歩き回っていたときに、お仕えしていた深草の帝がお亡くなりになって、変化するような世を見るようなことも、耐え難く悲しい。（遍昭は）蔵人の頭中将などといって、夜も昼も（帝に馴れ親しみ）お仕えして、「心残りがないような世には交じるまい」と言って、急に家の人にも知らせないで、比叡山に登って、出家しまして、思いましたが、そうはいうもののやはり、親などのことは、気にかかったのでしょうか。

遍昭は帝の死をきっかけに出家した、これは「教師」と「生徒」のやりとりには直接記されていないが、これがまずみんながおさえなくてはいけないポイントだ。

出家すれば剃髪（ていはつ）することになるね。出家して、自分の髪を剃髪した際に、母親のことを思い出して悲しくなって詠んだ歌だということがわかったかな。

『源氏物語』の本文にも、出家する前の浮舟が「親（＝母君）にもう一度このままの（＝出家する前の）姿を見せずじまいになってしまうようなことが、誰のせいでもなく自分の意志で出家するとはいえたいそう悲しい」と思う場面があったよね。

「ディスカッション型」では論点を整理する!!

さて、設問を改めて見てみよう。六人の生徒が意見を言い合っているね。この中から適当な意見を述べていると考えられる二人を選ばせる問題（これを「ディスカッション型内容合致問題」と呼びます）では、次のことに注意しよう。

問5 次に掲げるのは、二重傍線部「かかれとてしも」に関して、生徒と教師が交わした授業中の会話である。会話中にあらわれる遍昭（へんじょう）の和歌や、それを踏まえる二重傍線部「かかれとてしも」の解釈として、会話の後に六人の生徒から出された発言①～⑥のうち、適当なものを二つ選べ。ただし、解答の順序は問わない。

生徒 先生、この「かかれとてしも」という部分なんですけど、現代語に訳しただけでは意味が分からないんです。どう考えたらいいいですか。

教師 それは、

たらちねはかかれとてしもむばたまの我（わ）が黒髪をなでずやありけむ

という遍昭の歌に基づく表現だから、この歌を知らないと分かりにくかっただろうね。古文には「引き歌」といって、有名な和歌の一部を引用して、人物の心情を豊かに表現する技法があるんだよ。

生徒　そんな技法があるなんて知りませんでした。和歌についての知識が必要なんですね。

教師　遍昭の歌が詠まれた経緯については、『遍昭集』という歌集が詳しいよ。歌の右側には、
なにくれといひありきしほどに、仕まつりし深草の帝隠れおはしまして、かはらむ世を見むも、堪へがたくかなし。蔵人の頭の中将などいひて、夜昼馴れ仕まつりて、「名残りなからむ世に交じらはじ」とて、にはかに、家の人にも知らせで、比叡に上りて、頭下ろし侍りて、思ひ侍りしも、さすがに、親などのことは、心にやかかり侍りけむ。
と、歌が詠まれた状況が書かれているよ。

生徒　そこまで分かると、浮舟とのつながりも見えてくる気がします。

教師　それでは、板書しておくから、歌が詠まれた状況も踏まえて、遍昭の和歌と『源氏物語』の浮舟、それぞれについてみんなで意見を出し合ってごらん。

①　生徒A――遍昭は、お仕えしていた帝の死をきっかけに出家したんだね。そのときに「たらちね」、つまりお母さんのことを思って「母はこのように私が出家することを願って私の髪をなでたに違いない」と詠んだんだから、遍昭の親は以前から息子に出家してほしいと思っていたんだね。

②　生徒B――そうかなあ。この和歌は「母は私がこのように出家することを願って私の髪をなでたはずがない」という意味だと思うな。出家をして帝への忠義は果たしたけれど、育ててくれた親に申し訳ないという気持ちもあって、だから『遍昭集』で「さすがに」と言っているんだよ。

③　生徒C――私はAさんの意見がいいと思う。浮舟も出家することで、遍昭と同じくお母さんの意向に

沿った生き方をしようとしているんだよ。つまり、今まで親の期待に背いてきた浮舟が、これからの人生をやり直そうとしている決意を、心の中でお母さんに誓っていることになるね。

④　生徒D――私も和歌の解釈はAさんのでいいと思うけど、『源氏物語』に関してはCさんとは意見が違う。薫か匂宮と結ばれて幸せになりたいというのが、浮舟の本心だったはずだよ。自分も遍昭のように晴れ晴れした気分で出家できたらどんなにいいかという望みが、浮舟の独り言から読み取れるよ。

⑤　生徒E――いや、和歌の解釈はBさんのほうが正しいと思うよ。浮舟も元々は気がすすまなかった、親もそれを望んでいない、それでも過去を清算するためには出家以外に道はないとわりきった浮舟の潔さが、遍昭の歌を口ずさんでいるところに表れているんだよ。

⑥　生徒F――私もBさんの解釈のほうがいいと思う。でも、遍昭が出家を遂げた後に詠んだ歌を、浮舟は出家の前に思い起こしているという違いは大きいよ。出家に踏み切るだけの心の整理を、浮舟はまだできていないということが、引き歌によって表現されているんだよ。

さて、選択肢を見比べて論点を整理しておこう。

①　生徒A――遍昭は、お仕えしていた帝の死をきっかけに出家したんだね。そのときに「たらちね」、つまりお母さんのことを思って「**母はこのように私が出家することを願って私の髪をなでたに違いない**」**と詠んだ**んだから、遍昭の親は以前から息子に出家してほしいと思っていたんだね。

大きなズレ

②　生徒B――**そうかなあ。**この和歌は「**母は私がこのように出家することを願って私の髪をなでたはず**

がない」という意味だと思うな。 出家をして帝への忠義は果たしたけれど、育ててくれた親に申し訳ないという気持ちもあって、だから『遍昭集』で「さすがに」と言っているんだよ。

③ 生徒C——**私はAさんの意見がいいと思う。** 浮舟も出家することで、遍昭と同じくお母さんの意向に沿った生き方をしようとしているんだよ。つまり、今まで親の期待に背いてきた浮舟が、これからの人生をやり直そうとしている決意を、心の中でお母さんに誓っていることになるね。

④ 生徒D——**私も和歌の解釈はAさんのでいいと思う**けど、『源氏物語』に関してはCさんとは意見が違う。薫か匂宮と結ばれて幸せになりたいというのが、浮舟の本心だったはずだよ。自分も遍昭のように晴れ晴れした気分で出家できたらどんなにいいかという望みが、浮舟の独り言から読み取れるよ。

⑤ 生徒E——**いや、和歌の解釈はBさんのほうが正しいと思うよ。** 浮舟も元々は気がすすまなかった、親もそれを望んでいない、それでも過去を清算するためには出家以外に道はないとわりきった浮舟の潔さが、遍昭の歌を口ずさんでいるところに表れているんだよ。

⑥ 生徒F——**私もBさんの解釈のほうがいいと思う。** でも、遍昭が出家を遂げた後に詠んだ歌を、浮舟は出家の前に思い起こしているという違いは大きいよ。出家に踏み切るだけの心の整理を、浮舟はまだできていないということが、引き歌によって表現されているんだよ。

細かい論点は置いといて、和歌の解釈という点だけ見るとCさんDさんはAさん派、EさんFさんはBさん派だ。

ここまでどうだったかな。「ウエー難しい……」と思った人も多いかもしれないけど、心配しないでくださいね。**選択肢一つひとつは、本文の内容や会話文の内容と照らし合わせて、消去法も使えばちゃんと解けるようになっています。**細かいことは後回しにして**和歌の解釈だけ**チェックしてみよう。

①は、「母はこのように私が出家することを願って私の髪をなでたに違いない」がおかしいね。「母親はこのようであれ（＝出家せよ）と思って、私の黒髪をなでなかったであろう」だから、親が出家するのを願うようなことを言っているのはおかしいね。

そうすると、①の和歌の解釈を支持している③④の意見もおかしいことになるね。

②の解釈が正解だ。「ディスカッション型内容合致問題」で和歌などの解釈が含まれる場合、まずは解釈の適否が大きな論点だ。**誤った解釈を述べている生徒だけではなく、その意見に同調している生徒も切ってしまおう。**

「ディスカッション型内容合致問題」では、**まず大きな論点をチェック!! 誤った意見を述べている生徒だけでなく、その意見に同調している生徒も切ってしまえ！**

次に細かい論点をチェック。

⑤の選択肢は、②の解釈を支持している点はよいけれども、「わりきった浮舟の潔さ」は正しいのだろうか。遍昭の「母親はこのようであれ（＝出家せよ）と思って、私の黒髪をなでなかったであろう」という歌を「引き歌」で表現しても、「わりきった」心情は表せないよね。つまり肝心の「引き歌」の説明にそぐわない選択肢になっている。

一方、⑥の選択肢は「出家に踏み切るだけの心の整理を、浮舟はまだできていない」となっているね。実は、**遍昭が出家後にこの歌を詠んだのに対して、浮舟が「引き歌」表現を使ってつぶやいたのは、出家する前という違いがある**んだ。**この両者の相違点を見抜くことこそ「複数の題材による問題」**の重要なポイントだよ。共通テストでは、「複数の素材を、分析・評価させる問題」がポイントとなる！

だから、**共通テストでは複数の素材に見られる「共通点」もしくは「相違点」を探る姿勢がとても大事なんだ。**もちろん、読んだだけでこの「相違点」を一発で見抜けなくてもオッケー。**それは選択肢が教えてくれます。**まず大きな論点に着目して選択肢を切ること。そして、残った選択肢だけを見るようにすれば、着眼点が見えてくるよ。⑤の「わりきった」と、⑥の「出家に踏み切るだけの心の整理を、浮舟はまだできていない」とでは違いがあるから、選択肢を使ってこの二つの違いを検討すればよい。**ポイントは残った選択肢二つの中から「二**

つを選ぶ」のではなく、三つの中から「一つを切る」という攻め方。このようなタイプの問題では、**消去法を使えば解答が導ける**ように出題者は選択肢を用意してくれるから、過度に恐れる必要はないよ。正解は②と⑥。

スゴ技 35

「ディスカッション型内容合致問題」の解き方

(例) ①「大きな論点」で6人を3人に

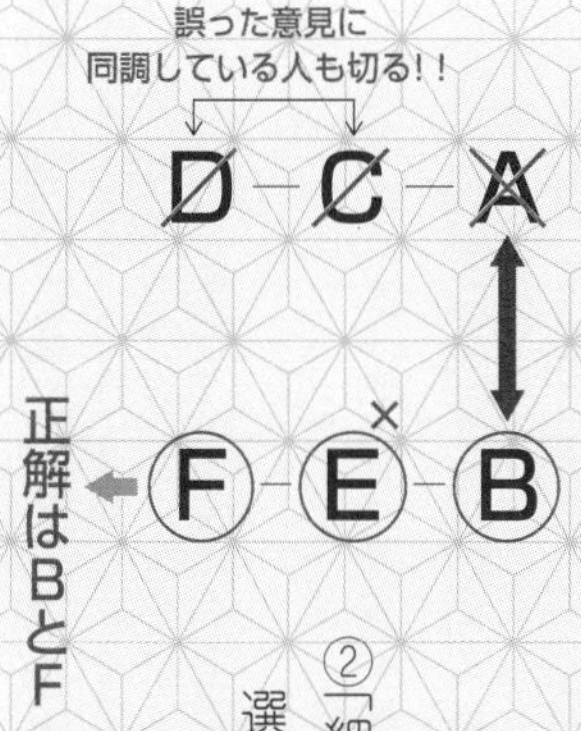

②「細かい論点」は何か?
選択肢を見比べて一人切る

空欄補充問題にも気をつけろ！

では、次に、対話文に空欄補充問題を組み合わせた問題を紹介しよう。近年ではこのタイプの問題が問4で出題されています。まずは、本文を読んでみてください。なお、現時点で古文が苦手な人はあとの現代語訳を先に読んでもオッケー。**今回は、設問の解き方の紹介だから、本文の理解は文法や単語力をパワーアップしたあとにできればいいからね。**

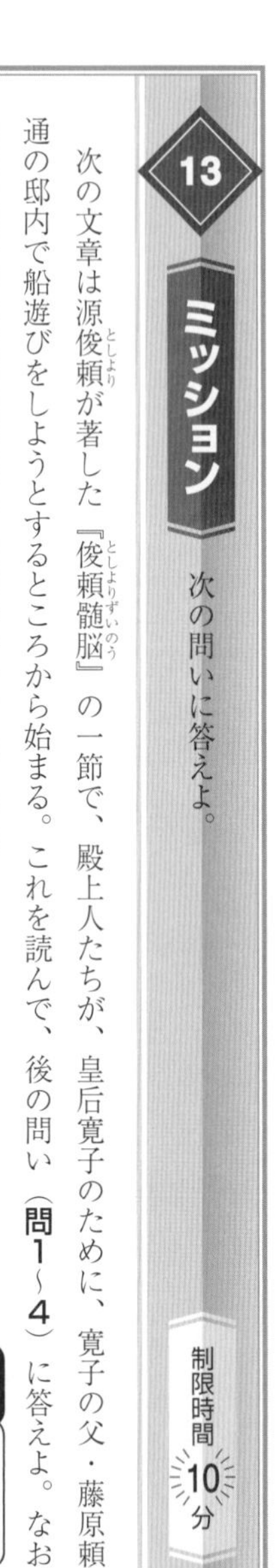

13 ミッション 次の問いに答えよ。

制限時間 10分

次の文章は源俊頼（としより）が著した『俊頼髄脳（としよりずいのう）』の一節で、殿上人たちが、皇后寛子のために、寛子の父・藤原頼通の邸内で船遊びをしようとするところから始まる。これを読んで、後の問い（**問1～4**）に答えよ。なお、設問の都合で本文の段落に1～5の番号を付してある。

難易度 ★★★★☆

1 宮司（みやづかさ）(注1)ども集まりて、船をばいかがすべき、紅葉（もみぢ）を多くとりにやりて、船（ふな）の屋形にして、船さし(注2)は侍（さぶらひ）のa若からむをさしたりければ、俄（にわか）に狩袴（かりばかま）(注3)染めなどしてきらめきけり。その日になりて、人々、皆参り集まりぬ。「御船はまうけたりや」と尋ねられければ、「皆まうけて侍り」と申して、その期になりて、島がくれ(注4)より漕ぎ出でたるを見れば、なにとなく、ひた照りなる船を二つ、装束き出でたるけしき、いとをかしかりけり。

[2] 人々、皆乗り分かれて、管絃の具ども、御前(注5)より申し出だして、そのことする人々、前におきて、(ア)やうやうさしまはす程に、南の普賢堂に、宇治の僧正(注6)、僧都の君と申しける時、御修法しておはしけるに、かかることありとて、もろもろの僧たち、大人、若き、集まりて、庭にゐなみたり。童部、供法師にいたるまで、繡花(注7)装束きて、さし退きつつ群がれゐたり。

[3] その中に、良暹といへる歌よみのありけるを、殿上人、見知りてあれば、「良暹がさぶらふか」と問ひければ、良暹、目もなく(注8)笑みて、平がりてさぶらひければ、かたはらに若き僧の侍りけるが知り、「bさに侍り」と申しければ、「あれ、船に召して乗せて連歌(注9)などせさせむは、いかがあるべき」と、いま一つの船の人々に申しあはせければ、「いかが。あるべからず。後の人や、さらでもありぬべかりけることかなとや申さむ」などありければ、さもあることとて、乗せずして、ただながら連歌などはせさせてむなど定めて、近う漕ぎよせて、「良暹、さりぬべからむ連歌などして参らせよ」と、人々申されければ、さる者にて、もしさやうのこともやあるとて、cまうけたりけるにや、聞きけるままに程もなくかたはらの僧にものを言ひければ、その僧、(イ)ことごとしく歩みよりて、

「もみぢ葉のこがれて見ゆる御船かな

と申し侍るなり」と申しかけて帰りぬ。

4 人々、これを聞きて、船々に聞かせて、付けむとしけるが遅かりければ、船を漕ぐともなくて、やうやう築島(つくじま)をめぐりて、一めぐりの程に、付けて言はむとしけるに、え付けざりければ、むなしく過ぎにけり。「いかに」「遅し」と、たがひに船々あらそひて、二(ふた)めぐりになりにけり。なほ、え付けざりければ、船を漕がで、島のかくれにて、「(ウ)かへすがへすもわろきことなり、これを d今まで付けぬは。日はみな暮れぬ。いかがせむずる」と、今は、付けむの心はなくて、付けでやみなむことを嘆く程に、何事も e覚えずなりぬ。

5 ことごとしく管絃の物の具申しおろして船に乗せたりけるも、いささか、かきならす人もなくてやみにけり。かく言ひ沙汰する程に、普賢堂の前にそこばく多かりつる人、皆立ちにけり。人々、船よりおりて、御前にて遊ばむなど思ひけれど、このことにたがひて、皆逃げておのおの失(う)せにけり。宮司、まうけしたりけれど、いたづらにてやみにけり。

(注) 1 宮司――皇后に仕える役人。
2 船さし――船を操作する人。
3 狩袴染めなどして――「狩袴」は狩衣を着用する際の袴。これを、今回の催しにふさわしいように染めたということ。
4 島がくれ――島陰。頼通邸の庭の池には島が築造されていた。そのため、島に隠れて邸(やしき)側からは見えにくいところがある。

5　御前より申し出だして――皇后寛子からお借りして。
6　宇治の僧正――頼通の子、覚円。寛子の兄。寛子のために邸内の普賢堂で祈禱をしていた。
7　繡花――花模様の刺繡。
8　目もなく笑みて――目を細めて笑って。
9　連歌――五・七・五の句と七・七の句を交互に詠んでいく形態の詩歌。前の句に続けて詠むことを、句を付けるという。

現代語訳

1　宮司たちが集まって、「船はどうするのがよいだろうか」（と相談して）、紅葉を多く取りに行かせて、船の屋根に飾って、船を操作する人は侍で若いような者を指名したところ、（侍は）急に狩袴染めなどをして派手にした。当日になって、人々が皆、参集した。「御船は準備しているか」と質問なさったところ、「すべて準備しております」と申し上げて、その時になって、島の陰から漕ぎ出してきたのを見ると、すべてにわたって、輝いている船を二艘、飾り立てて出てきた様子は、非常にすばらしかった。

2　人々（＝宴に参加する殿上人たち）が、みな乗り分かれて、管絃の道具などは、皇后様からお借りして、演奏する人々を、（船の）前方に配置して、徐々に船を動かすうちに、南の普賢堂で、宇治の僧正が、（まだ）僧都の君と申し上げていた時（だったが）、御祈禱をしていらっしゃったけれども、こういう催しが

あるということで、諸々の僧たち、年を重ねた者、若い者も、集まって、庭に並んで座っていた。童部や供法師にいたるまで、花模様の刺繡の装束を着て、後ろに控えつつ、群がって座っていた。

3 その中に、良暹という歌詠みがいたのを、殿上人たちが見知っているので、「良暹はいますか」と尋ねたところ、良暹は、目を細めて笑って、ひれ伏してお控えしていたので、そばに若い僧がおりましたのが気づき、「そうでございます」と申し上げたので、（ある人が）「あの者を、船に呼び乗せて連歌などをさせるようなのはどうであろうか」ともう一艘の船の人々に相談したところ、「どうだろうか。あるべきではない。後の世の人々が、『乗せないでもきっとよかったにちがいなかったものだなあ』と申すでしょうか」などと答えたので、もっともなことだということで、乗せないで、ただそのまま連歌などを詠ませてしまおうなどと決めて、近く漕ぎ寄せて、「良暹よ、ふさわしいにちがいない連歌などを詠んで献上せよ」と人々が申しなさったところ、（良暹は）なかなかの者であって、もしかしたらこのようなこともあるかと思って、準備していたのであろうか、聞くやいなや、そばの僧に言ったところ、その僧がもったいぶって船のほうに近づいていって、

「もみじ葉の…（紅葉が燃えるように色づく中を、（人々に）漕がれているのが見える御船であることよ）

と申しております」と申し上げて戻った。

4 人々は、これを聞いて、船の人々に聞かせて、句を付けようとしたがなかなか付句できず遅かったので、船を漕ぐともなく、ゆっくりと築島を巡って、一周する間に、付句しようとしたけれども、付句できなかったので、空しく時が過ぎて行った。「どうした」「遅い」と、お互いに言い争って、二周になってし

まった。やはり付句できなかったので、船を漕がないで、島の陰で、「どう考えてもよくないことだよ。これを今まで付けないのは。日はすっかり暮れてしまう。どうしたらよいか」と、今となっては、付句しようという気持ちはなくて、付けずに終わってしまうようなことを嘆くうちに、何も考えられなくなってしまった。

[5] 大げさに管絃の楽器をお借りして船に乗せていたのも、少しもかき鳴らす人もなくて終わってしまった。あれこれ言っているうちに、普賢堂の前にたくさんいた人たちも、皆立ち去ってしまった。人々は、船から降りて、皇后様の前で管絃の催しをしようなどと思っていたけれど、このことが（予定と）違ってしまったので、皆逃げてそれぞれいなくなってしまった。宮司が、準備を整えていたけれども、無駄に終わってしまった。

次に示すのは、授業で本文を読んだ後の、話し合いの様子である。これを読んで、後の（i）～（iii）の問いに答えよ。

教師――本文の[3]～[5]段落の内容をより深く理解するために、次の文章を読んでみましょう。これは『散木奇歌集（さんぼくきかしゅう）』の一節で、作者は本文と同じく源俊頼（としより）です。

人々あまた八幡(注1)の御神楽に参りたりけるに、こと果てて又の日、別当法印(注2)光清が堂の池の釣殿に人々ゐなみて遊びけるに、「光清、連歌作ることなむ得たることとおぼゆる。ただいま連歌付けばや」など申しゐたりけるに、かたのごとくとて申したりける、

釣殿の下には魚やすまざらむ　俊重(注3)

光清しきりに案じけれども、え付けでやみにしことなど、帰りて語りしかば、試みにとて、

うつばり(注4)の影そこに見えつつ　俊頼

(注) 1 八幡の御神楽——石清水八幡宮において、神をまつるために歌舞を奏する催し。
2 別当法印——「別当」はここでは石清水八幡宮の長官。「法印」は最高の僧位。
3 俊重——源俊頼の子。
4 うつばり——屋根の重みを支えるための梁。

教　師——この『散木奇歌集』の文章は、人々が集まっている場で、連歌をしたいと光清が言い出すところから始まります。その後の展開を話し合ってみましょう。

生徒A——俊重が「釣殿の」の句を詠んだけれど、光清は結局それに続く句を付けることができなかったんだね。

生徒B――そのことを聞いた父親の俊頼が俊重の句に「うつばりの」の句を付けてみせたんだ。

生徒C――そうすると、俊頼の句はどういう意味になるのかな？

生徒A――その場に合わせて詠まれた俊重の句に対して、俊頼が機転を利かせて返答をしたわけだよね。二つの句のつながりはどうなっているんだろう……。

教　師――前に授業で取り上げた「掛詞（かけことば）」に注目してみると良いですよ。

生徒B――掛詞は一つの言葉に二つ以上の意味を持たせる技法だったよね。あ、そうか、この二つの句のつながりがわかった！ X ということじゃないかな。

生徒C――なるほど、句を付けるって簡単なことじゃないんだね。うまく付けられたら楽しそうだけど。

教　師――そうですね。それでは、ここで本文の『俊頼髄脳』の3段落で良暹（りょうぜん）が詠んだ「もみぢ葉の」の句について考えてみましょう。

生徒A――この句は Y 。でも、この句はそれだけで完結しているわけじゃなくて、別の人がこれに続く七・七を付けることが求められていたんだ。

生徒B――そうすると、4・5段落の状況もよくわかるよ。 Z ということなんだね。

教　師――良い学習ができましたね。『俊頼髄脳』のこの後の箇所では、こういうときは気負わずに句を付けるべきだ、と書かれています。ということで、次回の授業では、皆さんで連歌をしてみましょう。

(i) 空欄 X に入る発言として最も適当なものを、次の①〜④のうちから一つ選べ。

① 俊重が、皆が釣りすぎたせいで釣殿から魚の姿が消えてしまったと詠んだのに対して、俊頼は、「そこ」に「底」を掛けて、水底(みなそこ)にはそこかしこに釣針が落ちていて、昔の面影をとどめているよ、と付けている

② 俊重が、釣殿の下にいる魚は心を休めることもできないだろうかと詠んだのに対して、俊頼は、「うつばり」に「鬱」を掛けて、梁の影にあたるような場所だと、魚の気持ちも沈んでしまうよね、と付けている

③ 俊重が、「すむ」に「澄む」を掛けて、水は澄みきっているのに魚の姿は見えないと詠んだのに対して、俊頼は、「そこ」に「あなた」という意味を掛けて、そこにあなたの姿が見えたからだよ、と付けている

④ 俊重が、釣殿の下には魚が住んでいないのだろうかと詠んだのに対して、俊頼は、釣殿の「うつばり」に「針」の意味を掛けて、池の水底には釣殿の梁ならぬ釣針が映って見えるからね、と付けている

(ii) 空欄 Y に入る発言として最も適当なものを、次の①〜④のうちから一つ選べ。

① 船遊びの場にふさわしい句を求められて詠んだ句であり、「こがれて」には、葉が色づくという意味の「焦がれて」と船が漕がれるという意味の「漕がれて」が掛けられていて、紅葉に飾られた船が池を廻(めぐ)っていく様子を表している

② 寛子への恋心を伝えるために詠んだ句であり、「こがれて」には恋い焦がれるという意味が込められ、「御船」には出家した身でありながら、あてもなく海に漂う船のように恋の道に迷い込んでしまった

良暹自身がたとえられている

③ 頼通や寛子を賛美するために詠んだ句であり、「もみぢ葉」は寛子の美しさを、敬語の用いられた「御船」は栄華を極めた頼通たち藤原氏を表し、順風満帆に船が出発するように、一族の将来も明るく希望に満ちていると讃(たた)えている

④ 祈禱を受けていた寛子のために詠んだ句であり、「もみぢ葉」「見ゆる」「御船」というマ行の音で始まる言葉を重ねることによって音の響きを柔らかなものに整え、寛子やこの催しの参加者の心を癒やしたいという思いを込めている

(iii) 空欄 Z に入る発言として最も適当なものを、次の①〜④のうちから一つ選べ。

① 誰も次の句を付けることができなかったので、良暹を指名した責任について殿上人たちの間で言い争いが始まり、それがいつまでも終わらなかったので、もはや宴(うたげ)どころではなくなった

② 次の句をなかなか付けられなかった殿上人たちは、自身の無能さを自覚させられ、これでは寛子のための催しを取り仕切ることも不可能だと悟り、準備していた宴を中止にしてしまった

③ 殿上人たちは良暹の句にその場ですぐに句を付けることができず、時間が経っても池の周りを廻るばかりで、ついにはこの催しの雰囲気をしらけさせたまま帰り、宴を台無しにしてしまった

④ 殿上人たちは念入りに船遊びの準備をしていたのに、連歌を始めたせいで予定の時間を大幅に超過し、庭で待っていた人々も帰ってしまったので、せっかくの宴も殿上人たちの反省の場となった

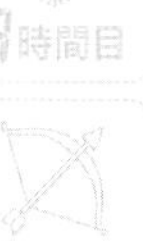

現代語訳

人々がたくさん石清水八幡宮の神楽に参上していた時に、それが終わった翌日、別当法印光清の御堂の池の釣殿に人々が並んで座って演奏していたところ、「私光清は、連歌を作ることを習得したと思われます。今すぐに連歌を付句してみたい」などと、申していました時に、型どおりにと言って申し上げた（俊重の句は）、

釣殿の…（釣殿の下には魚は住まないだろうか）　俊重

光清はしきりに考えたけれど、付句できずに終わってしまったことなどを、（俊重が）帰って（私に）語ったので、試みにということで、（私が作った句は）

うつばりの…（梁ならぬ釣針の姿が水底には見えているよ）　俊頼

これは実際に出題された過去問題だけど、対話文の中に三つ空欄があって、空欄に入る発言として正しいものを四択で補充させるという形式で出たんだ。**まずはこの形式に慣れてほしい。**

（i）から行こう。

やみくもに解くのではなく、**[X]には何について入れればいいのかをまず考えよう**！

生徒Bが[X]の直前で「この二つの句のつながりがわかった！」と言っているね。「こ

の二つの句」とは、**引用されている『散木奇歌集』で詠まれている連歌だ。『俊頼髄脳』ではないので注意。**また、前の教師の発言に「『掛詞』に注目してみると良いですよ」とあるから、**「掛詞を考えながら連歌の解釈を考えればよいのだな」と予想しておこう。**

“選択肢もヒントになる！”

選択肢の真ん中にある「のに対して」で、選択肢を分割しておこう。**選択肢を分割して、全体よりもまずは部分を見ること。**前半の俊重の句に集中しよう。余計なノイズをカットして部分に集中すると、すっきり見えてくるよ。「**魚やすまざらむ**」の「**や**」は、**疑問・反語の係助詞だよね。**知らない人は要チェック！　選択肢①③が普通文、②④が「…か」となっている疑問文だ。よって、②④に絞ることができるね。

俊重の句に戻ろうか。「釣殿の下には魚は住まないだろうか」と訳せるので、この時点で④が正解だとわかるね。「や」を疑問の係助詞でとらないといけないわけだから、②**みたいに「や」と「すむ」で「休む」としているのはおかしいよね。**品詞分解すると「や／すま／ざら／む」だね。教師の「『掛詞』に注目してみると良いですよ」という発言もヒントにして考えると、「すむ」が「住む」と「澄む」を掛けるという頻出掛詞を思い出してほしい。

① 俊重が、皆が釣りすぎたせいで釣殿から魚の姿が消えてしまったと詠んだのに対して、俊頼は、「そこ」に「底」を掛けて、水底（みなそこ）にはそこかしこに釣針が落ちていて、昔の面影をとどめているよ、と付けている

② 俊重が、釣殿の下にいる魚は心を休めることもできないだろうかと詠んだのに対して、俊頼は、「うつばり」に「鬱」を掛けて、梁の影にあたるような場所だと、魚の気持ちも沈んでしまうよね、と付けている

③ 俊重が、「すむ」に「澄む」を掛けて、水は澄みきっているのに魚の姿は見えないと詠んだのに対して、俊頼は、「そこ」に「あなた」という意味を掛けて、そこにあなたの姿が見えたからだよ、と付けている

④ 俊重が、釣殿の下には魚が住んでいないのだろうかと詠んだのに対して、俊頼は、釣殿の「うつばり」に「針」の意味を掛けて、池の水底には釣殿の梁ならぬ釣針が映って見えるからね、と付けている

①**まずは前半の俊重の内容だけチェック!!**

②**係助詞「や」の解釈が入っている**

③**「魚やすまざらむ」の解釈**

“「どこを見ればよいのか」の意識を大切に”

では、次に（ⅱ）にいきます。

今度は［Y］の直前で教師が「ここで本文の『俊頼髄脳』の3段落で良暹が詠んだ『もみぢ葉の』の句について考えてみましょう」と言っているから、**注目すべきは『俊頼髄脳』の3の良暹の句だね**。「そんなの当たり前じゃん」という声が聞こえてきそうだけど、**共通テストではメインの本文と引用されたサブの本文、それから対話文というふうに目が行ったり来たりするから、「どこを見ればよいのか」という意識は非常に大切なんだ**。

選択肢も見てみよう。長い選択肢だからこれもきちんと分割しようね。前半の「……句であり、」までが良暹の句が詠まれた状況説明だね。

①は「船遊びの場にふさわしい句を求められて詠んだ句であり」は正しいね。

②の「寛子への恋心を伝えるために詠んだ句であり」は絶対におかしい。皇后寛子への恋心を伝えることって、殿上人との連歌をする場にふさわしいことなの？　そもそも良暹が寛子に恋心を抱いていたなんてどこに書いてある？　だから、「こがれ」には「恋焦がれる」の意味は込められてはいないんだね。それに、良暹が詠んだ句なのに、良暹自身を「御船」という敬意を込めているのもおかしいよね。

③の「頼通や寛子を賛美するために詠んだ句」や④の「寛子のために詠んだ句」というのはどうだろうか？　判断が難しいところだ。

行き詰まったらグズグズしないで別の場所に目を向けること。じゃあ選択肢後半に書かれている句の解釈・説明についても見てみよう。

良暹は船遊びの場にふさわしい句を詠むように殿上人に命じられたんだったよね。③の後半の説明どおり「もみぢ葉」が寛子、「御船」が藤原氏の比喩であるならば、「寛子がこがれて見える藤原氏だなあ」という意味不明な解釈になってしまうよね。

④は「この催しの参加者の心を癒したい」が本文内容から考えて根拠のない説明だね。

そして、X で掛詞が用いられていたことをヒントにすると、この良暹の句にも掛詞が用いられていることがわかるかな。①で説明されている「**『こがれて』には、葉が色づくという意味の『焦がれて』と船が漕がれるという意味の『漕がれて』が掛けられている**」が正しい説明だと気づいただろうか。結局、掛詞が解釈のポイントだったんだね。正解は①だ。

① 〈船遊びの場にふさわしい句を求められて詠んだ句であり、〉「こがれて」には、葉が色づくという意味の「焦がれて」と船が漕がれるという意味の「漕がれて」が掛けられていて、紅葉に飾られた船が池を廻っていく様子を表している

② 〈寛子への恋心を伝えるために詠んだ句であり、〉「こがれて」には恋い焦がれるという意味が込められ、「御船」には出家した身でありながら、あてもなく海に漂う船のように恋の道に迷い込んでしまった良暹自身がたとえられている

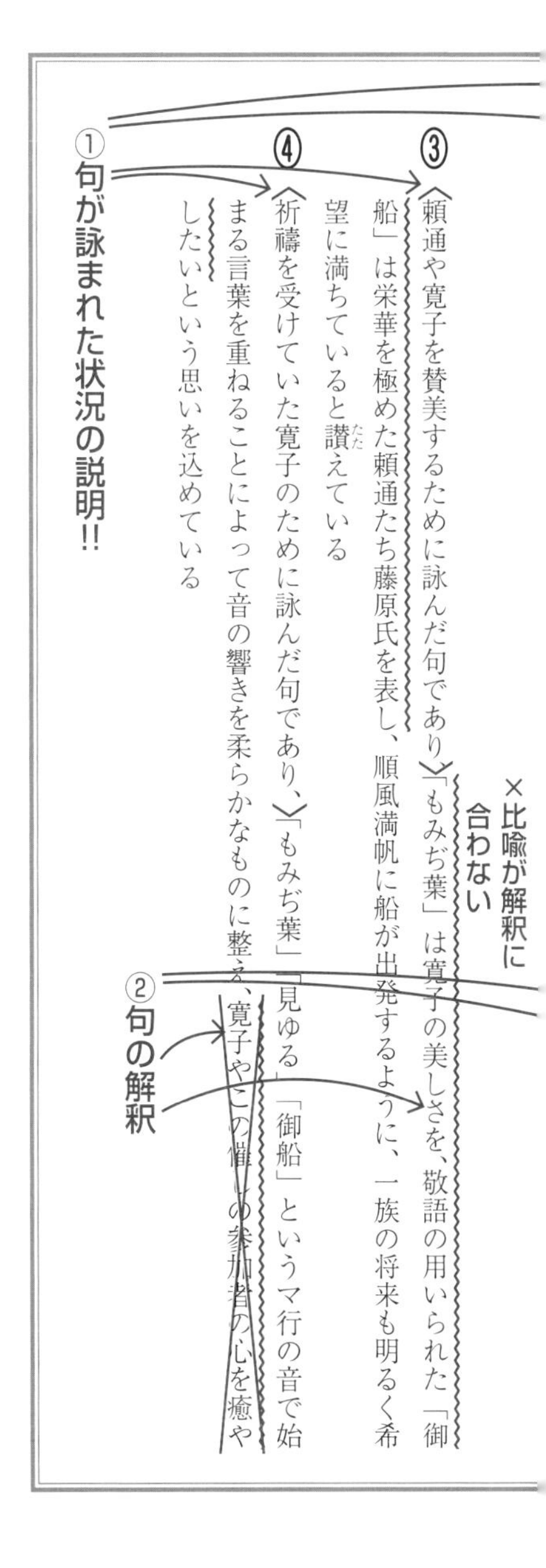

③〈頼通や寛子を賛美するために詠んだ句であり〉「もみぢ葉」は寛子の美しさを、敬語の用いられた「御船」は栄華を極めた頼通たち藤原氏を表し、順風満帆に船が出発するように、一族の将来も明るく希望に満ちていると讃えている
×比喩が解釈に合わない
④〈祈禱を受けていた寛子のために詠んだ句であり、〉「もみぢ葉」「見ゆる」「御船」というマ行の音で始まる言葉を重ねることによって音の響きを柔らかなものに整え、寛子やこの催しの参加者の心を癒やしたいという思いを込めている
①句が詠まれた状況の説明!!
②句の解釈

最後に、次に(iii)にいきます。問が4までしかない代わりに、問4は三つ答えなくてはいけないのだ。

[Z]の直前で教師が「[4]・[5]段落の状況もよくわかるよ」と言っているね。**ということは、『俊頼髄脳』の[4]・[5]段落について考えさせる問題だと予想できるね。**そう、以前**スゴ技23**でやったように**共通テストは段落ごとに問われる傾向が強い**から注意しておこう。この問題は、空欄補充の形式を取っているけど、**実体は[4]・[5]段落の内容合致問題だ。**

①は、「良暹を指名した責任」がおかしい。言い争っていたことは、「いかに」「遅し」でわかるように、句が付けられなかったからだよ。

②は、「自身の無能さを自覚させられ」がおかしいね。「何事も覚えずなりぬ」は、呆然としてどうしたらよいかわからなくなったってこと。

④は、「殿上人たちは……準備をしていた」ってあるけど、準備していたのは宮司たち。それに「連歌を始めたせいで」時間を大幅に超過したのではなくて、付句できなかったからというのが直接の原因だよね。また、「殿上人たちの反省の場となった」は本文にはない記述だ。

よって正解は③となる。

① 誰も次の句を付けることができなかったので、×良暹を指名した責任について殿上人たちの間で言い争いが始まり、それがいつまでも終わらなかったので、もはや宴どころではなくなった

② 次の句をなかなか付けられなかった殿上人たちは、×自身の無能さを自覚させられ、これでは寛子のための催しを取り仕切ることも不可能だと悟り、準備していた宴を中止にしてしまった

③ 殿上人たちは良暹の句にその場ですぐに句を付けることができず、時間が経っても池の周りを廻るばかりで、ついにはこの催しの雰囲気をしらけさせたまま帰り、宴を台無しにしてしまった

「いかに」「遅し」

「何事も覚えずなりぬ」

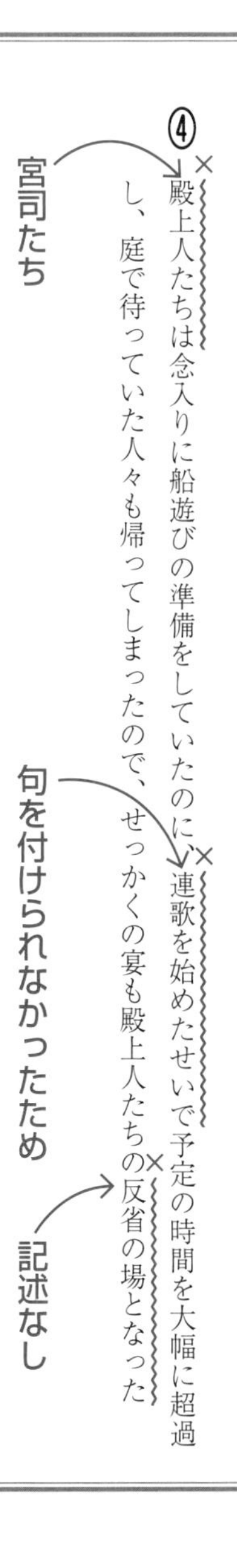

共通テスト形式の問題は、どうだったでしょうか。忘れてほしくないのは、**特殊な能力を求めているのではなく、対話文という名の「おしゃべり」の形式で内容が理解できているかを問うているだけということ。なので、恐れてはいけません。**

ディスカッション型は難易度が高くなることもあってか出題は少なめであるのを考えると、**空欄補充型のほうが今後出題される可能性は高いといえるでしょう。**

最後の設問は、ディスカッション型内容合致や空欄補充のほかに、【資料】を読ませて答えさせる問題もありますが、本質は変わりません。【資料】は文章、対話文はおしゃべり、形式と長さが違うだけ。

では、最後は本番を想定して過去問演習をやってみましょう。あと1時間。頑張って！

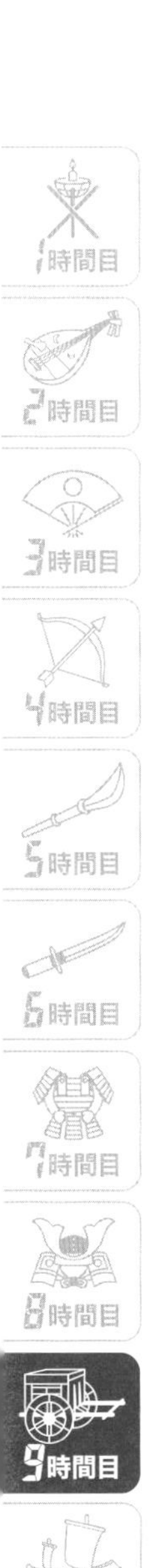

これからの共通テストを考えよう！「解説文形式」の攻略！

“出題される可能性が最も高いので注意だ!!”

では、最後のまとめとして、問４に解説文形式が出題された問題を紹介しよう。**実は、このタイプの問題が最も出題の可能性が高いのではないかと思っています。**もちろん、いままでやってきた、さまざまな問題への対応も大切です。でもこれからの共通テストは、現代文の関係で古文がボリュームダウンすると予想される。そうなると、この「本文プラス解説文」という形式に落ち着くかもしれない。でも、**大事なことは予想することじゃなくて、どんな形式が出てもビックリしないように準備しておくこと。そうすれば、きっと100パーセントの力が発揮できます。**たった10時間の参考書だけど、それに関してはこだわりました。

さあやってみよう。時間は20分です。終わったら現代語訳を読んでおいてください。

ミッション 14

次の問いに答えよ。

制限時間 20分

難易度 ★★★★☆

次の文章は、「車中雪（しゃちゅうのゆき）」という題で創作された作品の一節である（『草縁集（そうえんしゅう）』所収）。主人公が従者とともに桂（かつら）（京都市西京区の地名）にある別邸（本文では「院」）に向かう場面から始まる。これを読んで、後の問い（問1～4）に答えよ。

桂の院つくりそへ給（たま）ふものから、(ア)あからさまにも渡り給はざりしを、(注1)友待つ雪にもよほされてなむ、ゆくりなく(注2)思（おぼ）し立たすめる。かうやうの御歩（あり）きには、源少将、藤式部をはじめて、今の世の有職（いうそく）と聞こゆる若人のかぎり、必ずしも召しまつはしたりしを、(イ)とみのことなりければ、かくとだにもほのめかし給はず、「ただ(注3)親しき家司（けいし）四人五人（よたりいつたり）して」とぞ思しおきて給ふ。

やがて御車引き出（い）でたるに、「(注4)空より花の」と a うち興じたりしも、めでゆくまにまにいつしかと散りうせぬるは、かくてやみぬとにやあらむ。「さるはいみじき出で消えにこそ」と、人々(注5)死に返り妬（ねた）がるを、「げにあへなく口惜し」と思せど、「さて b 引き返さむも人目悪（わろ）かめり。なほ(注6)法輪の八講にことよせて」と思しなりて、ひたやりに急がせ給ふほど、またも(注7)つつ闇に曇りみちて、ありしよりけに散り乱れたれば、道のほとりに御車たてさせつつ見給ふに、何がしの山、くれがしの河原も、ただ時の間に c 面変（おも）はりせり。

かのしぶしぶなりし人々も、いといたう笑み曲げて、「これや(注8)小倉（をぐら）の峰ならまし」「それこそ(注9)梅津の渡りなら

め」と、口々に定めあへるものから、松と竹とのけぢめをだに、とりはづしては違へぬべかめり。「あはれ、世に面白しとはかかるをや言ふならむかし。なほここ(注10)にてを見栄やさまし」とて、やがて下簾(注11)かかげ給ひつつ、

　ここもまた月の中なる里ならし雪の光もよに似ざりけり

など d 興ぜさせ給ふほど、(ウ)かたちをかしげなる童の水干着たるが、手を吹く吹く御あと尋め来て、榻(注12)のもとにうずくまりつつ、「これ御車に」とて差し出でたるは、源少将よりの御消息なりけり。e 大夫とりつたへて奉るを見給ふに、「いつも後らかし給はぬを、かく、

X　白雪のふり捨てられしあたりには恨みのみこそ千重に積もれれ」

とあるを、ほほ笑み給ひて、畳紙に、

Y　尋め来やとゆきにしあとをつけつつも待つとは人の知らずやありけむ

やがてそこなる松を雪ながら折らせ給ひて、その枝に結びつけてぞたまはせたる。

　やうやう暮れかかるほど、さばかり天霧(注13)らひたりしも、いつしかなごりなく晴れわたりて、名に負ふ里の月影はなやかに差し出でたるに、雪の光もいとどしく映えまさりつつ、天地のかぎり、白銀うちのべたらむがごとくきらめきわたりて、あやにまばゆき夜のさまなり。

　院(注14)の預かりも出で来て、「かう渡らせ給ふとも知らざりつれば、とくも迎へ奉らざりしこと」など言ひつつ、頭ももたげで、よろづに追従するあまりに、牛の額の雪かきはらふとては、軛に触れて烏帽子を落とし、御車やるべき道清むとては、あたら雪をも踏みしだきつつ、足手の色を海老(注15)になして、桂風を引き歩く。人々、「いまはとく引き入れてむ。かしこのさまもいとゆかしきを」とて、もろ(注16)そそきにそそきあへるを、「げにも」

とは思すものから、ここもなほ見過ぐしがたうて。

（注）1　友待つ雪――後から降ってくる雪を待つかのように消え残っている雪。

2　思し立たす――「す」はここでは尊敬の助動詞。

3　家司――邸（やしき）の事務を担当する者。後出の「大夫」はその一人。

4　空より花の――『古今和歌集』の「冬ながら空より花の散りくるは雲のあなたは春にやあるらむ」という和歌をふまえた表現。

5　死に返り――とても強く。

6　法輪の八講――「法輪」は京都市西京区にある法輪寺。「八講」は『法華経』全八巻を講義して讃（たた）える法会。

7　つつ闇――まっくら闇。

8　小倉の峰――京都市右京区にある小倉山。

9　梅津の渡り――京都市右京区の名所。桂川左岸に位置する。

10　ここにてを見栄やさまし――ここで見て賞美しよう。

11　下簾――牛車（ぎっしゃ）の前後の簾（下図参照）の内にかける帳（とばり）。

12　榻――牛車から牛をとり放したとき、「軛（くびき）」を支える台（下図参照）。牛車に乗り降りする際に踏み台ともする。

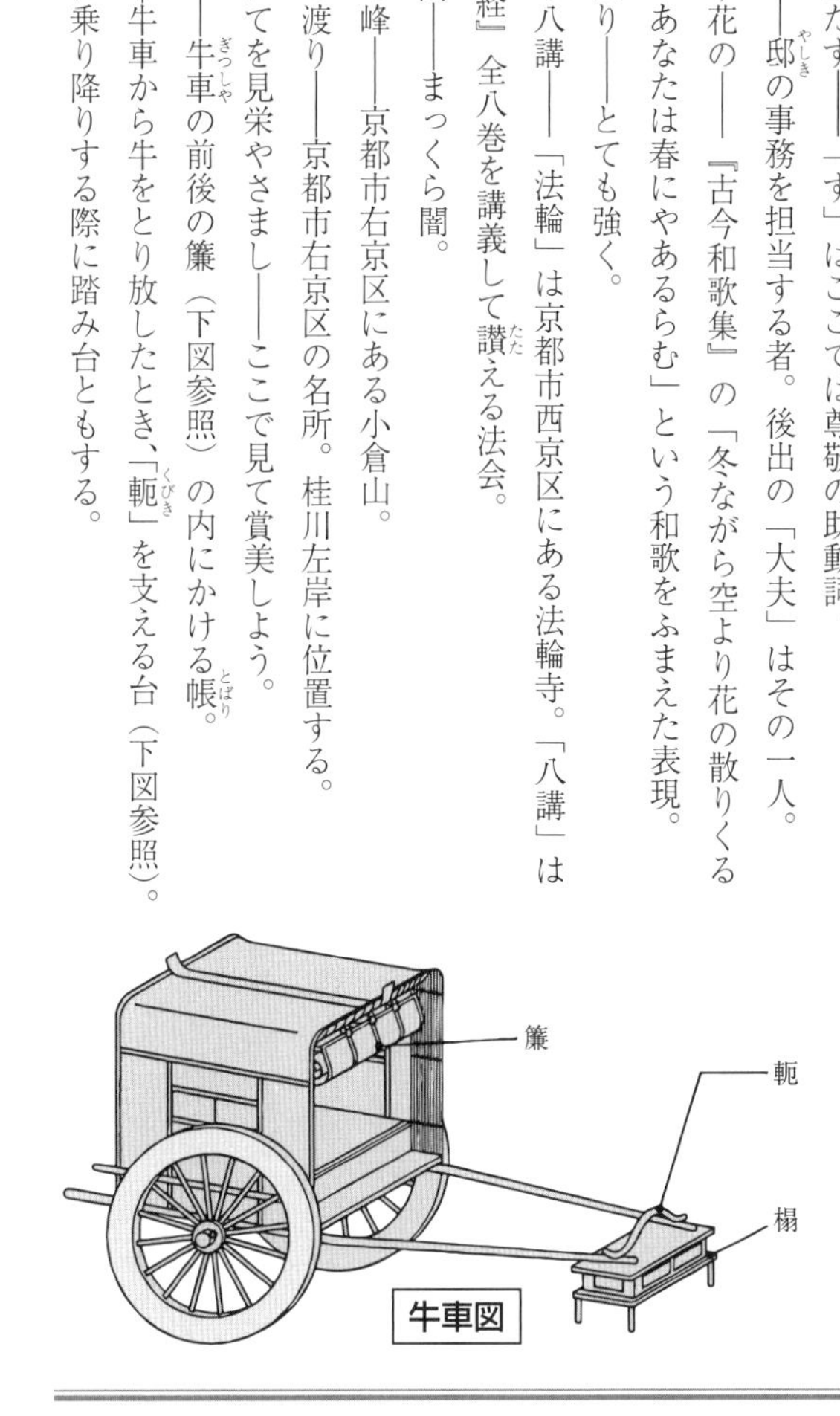

牛車図

13　天霧らひ――「天霧らふ」は雲や霧などがかかって空が一面に曇るという意。
14　院の預かり――桂の院の管理を任された人。
15　海老になして――海老のように赤くして。
16　もろそそき――「もろ」は一斉に、「そそく」はそわそわするという意。

問1　傍線部(ア)〜(ウ)の解釈として最も適当なものを、次の各群の①〜⑤のうちから、それぞれ一つずつ選べ。

(ア)　あからさまにも
① 昼のうちも
② 一人でも
③ 少しの間も
④ 完成してからも
⑤ 紅葉の季節にも

(イ)　とみのこと
① 今までになかったこと
② にわかに思いついたこと
③ ひそかに楽しみたいこと
④ 天候に左右されること
⑤ とてもぜいたくなこと

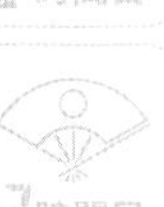

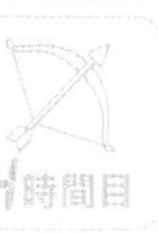

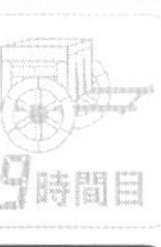

(ウ) かたちをかしげなる

① 格好が場違いな
② 機転がよく利く
③ 和歌が上手な
④ 体を斜めに傾けた
⑤ 見た目が好ましい

問2 波線部a〜eについて、語句と表現に関する説明として最も適当なものを、次の①〜⑤のうちから一つ選べ。

① a「うち興じたりしも」の「し」は強意の副助詞で、雪が降ることに対する主人公の喜びの大きさを表している。

② b「引き返さむも」の「む」は仮定・婉曲の助動詞で、引き返した場合の状況を主人公が考えていることを表している。

③ c「面変はりせり」の「せり」は「り」が完了の助動詞で、人々の顔色が寒さで変化してしまったことを表している。

④ d「興ぜさせ給ふ」の「させ」は使役の助動詞で、主人公が和歌を詠んで人々を楽しませたことを表している。

⑤ e「大夫とりつたへて奉るを見給ふ」の「給ふ」は尊敬の補助動詞で、作者から大夫に対する敬意を表している。

表している。

問3 和歌X・Yに関する説明として最も適当なものを、次の①～④のうちから一つ選べ。

① 源少将は主人公の誘いを断ったことを気に病み、「白雪」が降り積もるように私への「恨み」が積もっているのでしょうね、という意味の和歌Xを贈った。

② 源少将は和歌Xに「捨てられ」「恨み」という恋の歌によく使われる言葉を用いて主人公への恋情を訴えたため、主人公は意外な告白に思わず頬を緩めた。

③ 主人公は和歌Yに「待つ」という言葉を用いたのに合わせて、「待つ」の掛詞(かけことば)としてよく使われる「松」の枝とともに、源少将が待つ桂の院に返事を届けさせた。

④ 主人公は「ゆき」に「雪」と「行き」の意を掛けて、「雪に車の跡をつけながら進み、あなたを待っていたのですよ」という和歌Yを詠んで源少将に贈った。

問4 次に示すのは、「桂(かつら)」という言葉に注目して本文を解説した文章である。これを読んで、後の(i)～(iii)の問いに答えよ。

本文は江戸時代に書かれた作品だが、「桂」やそれに関連する表現に注目すると、平安時代に成立した『源氏物語』や、中国の故事がふまえられていることがわかる。以下、順を追って解説していく。

まず、1行目に「桂の院」とある。「桂」は都の中心地からやや離れたところにある土地の名前で、『源氏物語』の主人公である光源氏も「桂の院」という別邸を持っている。「桂の院」という言葉がはじめに出てくることで、読者は『源氏物語』の世界を思い浮かべながら本文を読んでいくことになる。

次に、13行目の和歌に「月の中なる里」とある。実はこれも「桂」に関わる表現である。古語辞典の「桂」の項目には、「中国の伝説で、月に生えているという木。また、月のこと」という説明がある。すなわち、「月の中なる里」とは「桂の里」を指す。したがって、13行目の和歌は、「まだ桂の里に着いていないはずだが、この場所もまた『月の中なる里』だと思われる。なぜなら、[I]」と解釈できる。「桂」が「月」を連想させる言葉だとすると、21行目で桂の里が「名に負ふ里」と表現されている意味も理解できる。すなわち、21～23行目は[II]、という情景を描いているわけである。

最後に、26行目に「桂風を引き歩く」とある。「桂風」は「桂の木の間を吹き抜ける風」のことであるが、「桂風を引き」には「風邪を引く」という意味も掛けられている。実は『源氏物語』にも「浜風を引き歩く」という似た表現がある。光源氏の弾く琴の音が素晴らしく、それを聞いた人々が思わず浜を浮かれ歩き風邪を引くというユーモラスな場面である。『源氏物語』を意識して読むと、24～28行目では主人公がどのように描かれているかがよくわかる。すなわち、[III]。

以上のように、本文は「桂の院」に向かう主人公たちの様子を、移り変わる雪と月の情景とともに描き、最後は院の預かりや人々と対比的に主人公を描いて終わる。作者は『源氏物語』や中国の故事をふまえつつ、「桂」という言葉が有するイメージをいかして、この作品を著したのである。

(i) 空欄 Ｉ に入る文章として最も適当なものを、次の①～④のうちから一つ選べ。

① 小倉や梅津とは比較できないくらい月と雪が美しいから
② 雪がこの世のものとは思えないほど光り輝いているから
③ ひどく降る白い雪によって周囲の見分けがつかないから
④ 月の光に照らされた雪のおかげで昼のように明るいから

(ii) 空欄 Ⅱ に入る文章として最も適当なものを、次の①～④のうちから一つ選べ。

① 空を覆っていた雲にわずかな隙間が生じ、月を想起させる名を持つ桂の里には、一筋の月の光が鮮やかに差し込んできて、明るく照らし出された雪の山が、目がくらむほど輝いている
② 空を覆っていた雲がいつの間にかなくなり、月を想起させる名を持つ桂の里にふさわしく、月の光が鮮やかに差し込み、雪明かりもますます引き立ち、あたり一面が銀色に輝いている
③ 空を覆っていた雲が少しずつ薄らぎ、月を想起させる名を持つ桂の里に、月の光が鮮やかに差し込んでいるものの、今夜降り積もった雪が、その月の光を打ち消して明るく輝いている
④ 空を覆っていた雲は跡形もなく消え去り、月を想起させる名を持つ桂の里だけに、月の光が鮮やかに差し込んできて、空にちりばめられた銀河の星が、見渡す限りまぶしく輝いている

(iii) 空欄 Ⅲ に入る文章として最も適当なものを、次の①〜④のうちから一つ選べ。

① 「足手の色」を気にして仕事が手につかない院の預かりや、邸の中に入って休息をとろうとする人々とは異なり、「ここもなほ見過ぐしがたうて」とその場に居続けようとするところに、主人公の律儀な性格が表現されている

② 風邪を引いた院の預かりを放っておいて「かしこのさまもいとゆかしきを」と邸に移ろうとする人々とは異なり、「『げにも』とは思す」ものの、院の預かりの体調を気遣うところに、主人公の温厚な人柄が表現されている

③ 軽率にふるまって「あたら雪をも踏みしだきつつ」主人を迎えようとする院の預かりや、すぐに先を急ごうとする人々とは異なり、「ここもなほ見過ぐしがたうて」と思っているところに、主人公の風雅な心が表現されている

④ 「とくも迎へ奉らざりしこと」と言い訳しながら慌てる院の預かりや、都に帰りたくて落ち着かない人々とは異なり、「『げにも』とは思す」ものの、周囲の人を気にかけないところに、主人公の悠々とした姿が表現されている

どうだったかな？　20分で終えるのはなかなかきついよね。でも何度か繰り返せば大丈夫！　頑張っていこう。それでは現代語訳を参照しながら、まずは内容を追いかけてみよう。

“リード文　場面の説明。しっかり読もう！”

次の文章は、「車中雪（しやちゆうのゆき）」という題で創作された作品の一節である（『草縁集（そうえんしゅう）』所収）。主人公が従者とともに桂（かつら）（京都市西京区の地名）にある別邸（本文では「院」）に向かう場面から始まる。

「車中雪」というタイトルは聞いたことがない作品だと思うけれど、全然心配なし。僕も初めて読みました。でも入試問題は初見でも必ず解けるようにできています。まずリード文で、どういう場面なのかをしっかりと読み取ろう。「主人公」の具体的な名前は出てこないけど、従者とともに桂の別邸に向かう場面だということがわかる。特に注意することはなさそうだね。

一　別邸へ突然出発する主人公

桂の院つくりそへ給（たま）ふものから、(ア)あからさまにも渡り給はざりしを、友待つ雪(注1)にもよほされてなむ、ゆくりなく思(おぼ)し(注2)立たすめる。かうやうの御歩(あり)きには、源少将、藤式部をはじめて、今の世の有職(いうそく)と聞こゆる若人のかぎり、必ずしも召しまつはしたりしを、(イ)とみのことなりければ、かくとだにもほのめかし給はず、「ただ親しき(注3)家司(けいし)四人(よたり)五人(いつたり)して」とぞ思しおきて給ふ。

現代語訳

(主人公は) 桂の院 (＝桂にある別邸) を増築なさるけれども、**少しの間も**お渡りにならなかったが、後から降ってくる雪を待つかのように消え残っている雪に促されて、突然 (訪問することを) 思い立ちなさるようだ。このようなお出かけには、源少将や藤式部をはじめとして今の世で学問・芸能・儀礼などによく通じていると評判である若い人々全員を、必ず呼び寄せて身近に置きなさっていたが、**にわかに思いついたこと**であったので、このように出かけるとさえもほのめかしなさらないで、「親しい家司を四、五人だけ (連れて出かけよう)」と心に決めなさる。

この段落ではまず、主人公が消え残る雪に促されるように桂の別邸を訪問しようと思い立つ。お供としたのは親しい家司四、五人だけだったという内容。

傍線が二つあるね。語句問題だからすぐに解いてしまおう！

問1　求められるのは基本的な単語力ばかり！

問1の語句問題は、近年は「文脈の依存度」が低くなっている。7時間目で書いたとおり、**きちんとした単語の知識があったら必ず得点源にできます。**

（ア）は、形容動詞「あからさまなり」の連用形「あからさまに」と係助詞の「も」が合わさったもの。「あからさまなり」は巻末資料の必修単語にバッチリ載っているよね。「ほんのちょっと」という意味。「露骨」って意味じゃないから注意。正解は③。

（イ）は、「とみ」が形容動詞「とみなり」の語幹（＝活用しない部分）で、後の「こと」を修飾している。「とみなり」の意味は、「急だ」「にわかだ」ってこと。漢字を当てると「**頓**なり」って書きます。正解は②。

「単語がなかなかおぼえられない〜」って嘆いている人は、**おぼえる時に漢字を当てて熟語で考えてみるといいです。**例えば、「ねんごろなり」って「熱心だ」「丁寧だ」「親密だ」とかの意味があるんだけど、漢字で「懇ろなり」っておぼえておけば、「懇切丁寧」とか「懇親会」「懇意」とかの熟語で意味が連想できるよね。そうやって連想すると意味がわかりやすいよ。

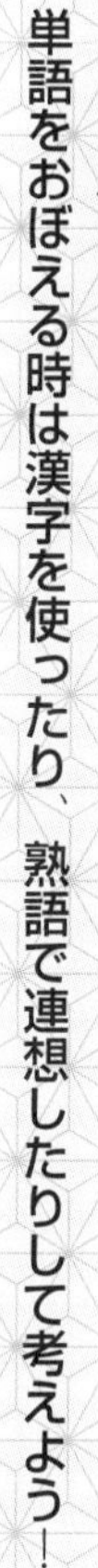
スゴ技 36

単語をおぼえる時は漢字を使ったり、熟語で連想したりして考えよう！

二 雪景色に感動して歌を詠む主人公

やがて御車引き出でたるに、「空より花の」（注4）と a うち興じたりしも、めでゆくまにまにいつしかと散りうせぬるは、かくてやみぬとにやあらむ。「さるはいみじき出で消えにこそ」と、人々死に返り（注5）妬がるを、「げにあへなく口惜し」と思せど、「さて b 引き返さむも人目悪かめり。なほ法輪の八講（注6）にことよせて」と思しなりて、ひたやりに急がせ給ふほど、またもつつ闇（注7）に曇りみちて、ありしよりけに散り乱れたれば、道のほとりに御車たてさせつつ見給ふに、何がしの山、くれがしの河原も、ただ時の間に c 面変はりせり。

かのしぶしぶなりし人々も、いといたう笑み曲げて、「これや小倉の峰（注8）ならまし」「それこそ梅津の渡り（注9）ならめ」と、口々に定めあへるものから、松と竹とのけぢめをだに、とりはづしては違へぬべかめり。「あはれ、世に面白しとはかかるをや言ふならむかし。なほここにて（注10）を見栄やさまし」とて、やがて下簾（注11）かかげ給ひつつ、

ここもまた月の中なる里ならし雪の光もよに似ざりけり
など d興ぜさせ給ふほど、

現代語訳

すぐに車を引き出したところ、「空より花の（＝冬なのに空から雪があたかも花のように散ってくるのは、雲の向こうは春だからであろうか）」と趣深いと感じていたのに、賞美するにつれて早くも雪が散って見えなくなってしまうのは、こうして降り止んでしまうということであろうか。「実にすばらしい（雪の）変幻であるよ」と、供の人々がとても強く悔しがるのを、「本当にあっけなく残念だ」と（主人公も）お思いになるけれども、「それにしても今から引き返すようなこともみっともないようだ。やはり法輪寺の八講の法会にかこつけて（出かけよう）」とお思いになるようになって、ひたすらに（車を）急がせなさるうちに、またもまっ暗闇になるほど雲が空を覆って、先ほどよりもいっそう盛んに（雪が）降り乱れているので、（主人公は）道の端に車を止めさせなさったままでご覧になると、どこそこの山もどこそこの河原も、あっという間に様子が変わっている。

例の気の進まない様子で供をしていた人々も、たいそうはなはだしく顔を綻ばせて（喜んで）、「これが小倉山なのだろうか」「それが梅津の渡りであろう」と、皆で口々に見当をつけ合っているけれども、松と竹との区別をさえ、うっかりするときっと見誤るにちがいないようだ。「ああ、世の中で趣深いと言うのはこのような景色を言うのであるだろうよ。やはりここで見て賞美しよう」と（主人公は）おっしゃって、そのまま下簾を上げなさりながら、

ここもまた…（＝ここもまた月の世界にある里であるらしい。雪明かりまでもがこの世のものとは同じように思われないほど趣深い）

などと、面白がりなさるうちに、…

主人公は桂の別邸に向かう途中、降り乱れる雪に車を止め、月世界のように一変した景色に興趣を感じて歌を詠んだ。ところで、主人公が目指している「桂」という場所の地名は、中国の伝説で月に生えているとされる木の「桂」を読者に連想させるんだ（詳しくは問4の解説文に書いてあるね）。だから和歌の「ここもまた月の中なる里ならし」というのは、「**まだ桂の里に着いていないはずだが、この場所もまた**（**桂という言葉で連想される**）**月の中にある里だと思われる**」というふうに捉えることができるんだ。

波線部a～dがあるね。問2をやっておこう。

問2　まずは前半の文法力で勝負だよ！

選択肢全体を見てみよう。①から④は前半が文法、後半が内容・表現の説明だね。まずは文法の説明でおかしいものがあったら消去しよう。それが一番速く正確に解ける。そのうえで、内容・表現を考えることにしよう。

①aの「し」を「強意の副助詞」としているところがおかしい。もし、強意の副助詞だったら、**それがなくなっても意味が通るはずなんだ。**でも、「しも」を取り除いて、「うち興じたり」だと直後の「めでゆく…」につながっていかないね。**この「し」は過去の助動詞「き」の連体形で、直後に「こと」などの名詞（体言）が省略されている。**「き」が連用形接続で、「せ・○・き・し・しか・○」と活用するのはちゃんとおぼえたかかな？　まだなら必ず活用表を見直そう。

②bの「む」は、「**文中の『む』は仮定・婉曲で決まり！**」**だったよね。**だから、「引き返した場合の状況を主人公が考えていることを表している」という説明も問題ないね。これが正解。

③cの「り」は工段音に接続している「り」なので、完了・存続で間違いないのだけど、「面

変はり」を「人々の顔色」としているのが誤り。**主語を見よう。説明内容の「何が」はとても重要だよ。**直前に「何がしの山、くれがしの河原も」とあるように、「どこそこの山もどこそこの河原も」なので、山や河原の様子が変わったことを説明しているんだ。

④dの「させ」を「使役の助動詞」と説明しているところが誤り。直前で主人公が和歌を詠んで雪景色を楽しんでいる様子が描かれているね。だから主人公自身が楽しんでいると解釈できる。

⑤については、のちほど説明しよう（215ページ）。

スゴ技37

まずは文法の説明で勝負！
⬇残った選択肢について、内容や表現とあわせて考えよう。

三　源少将と贈答歌を交わす主人公

(ウ)かたちをかしげなる童(わらは)の水干(すいかん)着たるが、手を吹く吹く御あと尋(と)め来て、榻(しぢ)(注12)のもとにうずくまりつつ、「これ御車に」とて差し出でたるは、源少将よりの御消息なりけり。e大夫(たいふ)とりつたへて奉るを見給ふに、「いつも後(おく)らかし給はぬを、かく、

X　白雪のふり捨てられしあたりには恨みのみこそ千重に積もれれ」

とあるを、ほほ笑み給ひて、畳紙(たたうがみ)に、

Y　尋め来やとゆきにしあとをつけつつも待つとは人の知らずやありけむ

やがてそこなる松を雪ながら折らせ給ひて、その枝に結びつけてぞたまはせたる。

現代語訳

見た目が好ましい童で水干を着ている童が、手に何度も息を吹きかけながら（主人公の）車の車輪の跡を探してやってきて、榻の側にしゃがんだままで、「これを車に（お渡しください）」と言って差し出したのは、源少将からのお手紙であったよ。大夫が（主人公に）取り次ぎ申し上げるのを（主人公が）ご覧になると、「いつもは（私を）置き去りなさることはないのに、このように（私を連れてくださらないとは）

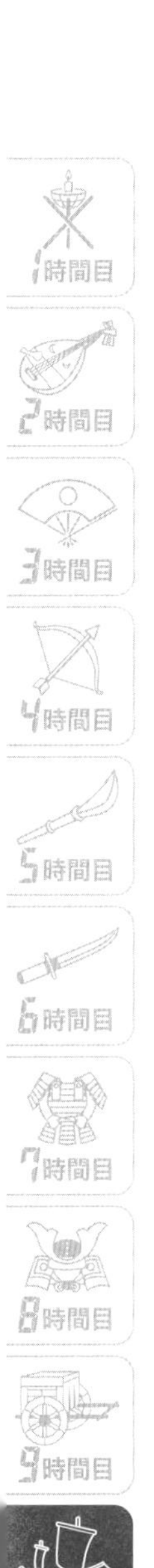

X　白雪の…（＝白雪が降り乱れ、見捨てられたあたりには、置き去りにされた私の恨みだけが幾重にも積もっている。）」

と書いてあるのを、（それを読んだ主人公は）にっこりなさって、畳紙に

Y　尋め来やと…（＝あなたが私を捜し求めて来るかと思って、行き進んだ跡を（わざと）雪につけながら私が待っているとは気づかなかったのだろうか。）

すぐにその場所にある松を雪がついたまま折り取らせなさって、その枝に結びつけて（童に）お与えになった。

先ほどの問2の続き、⑤が残っていたね。

⑤eは「大夫に対する敬意」が誤り。わかる？「大夫が（主人公に）取り次ぎ申し上げる（＝手紙）のを、（**主人公が**）ご覧になると」という意味だよ。「奉る」が連体形であることに気をつけて、「大夫が主人公に取り次いだ手紙」を、「見る」のは誰だろう？「主人公」だよね。尊敬語は主語に対する敬意を表すから、**これは主人公に対する敬意だ**。よって誤り。

問1のウも大丈夫かな。基本単語だ。「かたち」は容貌。「をかしげなり」は「趣深い」とかって訳すことが多いけど、容貌についてのプラスイメージの意味だと考えればいいよね。だから「見た目が好ましい」の⑤が正解。

問3　和歌問題だ！　でも和歌以外でまずは勝負！

では、問3の和歌の説明問題にいこう。

①は、**「源少将は主人公の誘いを断った」**がおかしいよね。これって和歌の内容以外のところが問題となっているんだけれど、本文の最初のほうに注目すると、**主人公は急に外出を思い立って、外出を伝えないまま親しい家司数名を連れて出発したんだよね**。ということは、**源少将が主人公の外出を知ったのは、主人公の出発後だよね**。だから童にあとを追わせて和歌を贈ったんだ。**和歌が解釈できなくてもこの選択肢は×だとわかるよね**。この歌には連れて行ってくれなかった主人公に対する不満が詠まれている。また、**不満を詠むことで「連れて行ってほしかった…」という親愛の情を表明していることにもなるんだ**。選択肢後半にある「私への恨み」ももちろんおかしいね。

②和歌Xは「主人公に対する不満」を詠んだものだから、「主人公への恋情」を訴えたと

か「意外な告白」とかはおかしいね。たしかに和歌の真意は親愛の情だけど、これをもって恋愛感情と取ることはできない。

③**この正誤判定も和歌の内容とは関係ないよね。**だって「源少将が待つ桂の院」はおかしいでしょ。主人公は桂の院に向かっているわけで、誘われなかった源少将が桂の院で待っているというのはありえない。なお選択肢後半の「まつ」の掛詞の説明は正しいよ。「まつ」は頻出掛詞だったよね。

④この「ゆき」の掛詞も状況から考えておかしくないね。「あなたが私を捜し求めて来るかと思って、行き進んだ跡を（わざと）雪につけながら私が待っているとは気づかなかったのだろうか。」という意味。あ、もちろん事実としては車の跡は自然についたものだけど、このように軽妙に詠むことによって、**主人公はXで詠まれた源少将の不満を受け止めて、自らも親愛の情を返したんだよ。**というわけでこの④が正解。

四　桂の院から出迎えを受ける主人公

やうやう暮れかかるほど、さばかり天霧(あまぎ)らひたりし（注13）も、いつしかなごりなく晴れわたりて、名に負ふ里の月影はなやかに差し出でたるに、雪の光もいとどしく映えまさりつつ、天地(あめつち)のかぎり、白銀(しろかね)うちのべたらむがごとくきらめきわたりて、あやにまばゆき夜のさまなり。

院の預かり（注14）も出で来て、「かう渡らせ給ふとも知らざりつれば、とくも迎へ奉らざりしこと」など言ひつつ、頭(かしら)ももたげで、よろづに追従するあまりに、牛の額の雪かきはらふとては、軛(くびき)に触れて烏帽子(えぼし)を落とし、御車やるべき道清むとては、あたら雪をも踏みしだきつつ、足手の色を海老(えび)（注15）になして、桂風(かつらかぜ)を引き歩く。人々、「いまはとく引き入れてむ。かしこのさまもいとゆかしきを」とて、もろそそき（注16）にそそきあへるを、「げにも」とは思すものから、ここもなほ見過ぐしがたうて。

現代語訳

だんだんと日が暮れようとする頃に、あれほど一面に曇っていた空も、いつのまにかきれいさっぱり一面に晴れて、有名な（桂の）里の月の光が美しく差し込んできたので、雪明かりもいっそう鮮やかに映えては、空も地面もすべてがあたかも白銀を打ち延ばしてあるかのように一面に輝いて、正視できないほどきらびやかな夜の様子である。

桂の院の管理を任された人もやってきて、「このようにお渡りになるとも知らなかったので、早くにお出迎え申し上げなかったことですよ」などと（主人公に）言いながら、頭も上げないで何につけてもこびへつらうあまりに、牛の額にかかる雪を払いのけようとしては、轅に当たって烏帽子を落とし、お車が進んでいくはずの道をきれいにしようとしては、せっかくの雪を踏み荒らしながら、足や手の色を（霜焼けで）海老のように赤くして、桂の木の間を吹き抜ける風ではないが歩きまわって風邪をひく。お供の人々が「今はもう早く（車を）引き入れてしまおう。あちらの様子もたいそう心惹かれるなあ」と言って、一斉にそわそわしあっているのを、（主人公は）「その通りだ」とはお思いになるけれども、この場所の情趣もやはり見逃すことも難しくて（まだ立ち去れないのだった）。

問4 「解説文型空欄補充問題」にチャレンジ！

では、最後に、「解説文型空欄補充問題」の練習をしよう。この時間の冒頭でも書いたけど、**このタイプの問題が最も出題の可能性が高いのではないかと思っています。**もちろん、いままでやってきたさまざまなタイプの出題への対応も大事。でも、2025年からの新しい形式では、現代文の大問が一つ増えるので、古文はボリュームダウンさせようという方針で出

題されるかもしれません。そうなると、「複数の本文を読ませたり、対話文の中で別の本文を読ませたりするのは難しいな」というふうに出題者が考えるかもしれない。そんなわけで、「**本文を一つ読ませて、それに関する解説文を読ませることで受験生の学力を多面的にはかろう**」ということで、この「本文プラス解説文形式」が出題される可能性がかなり高い。対策をしておくに越したことはないだろう。

ただ、出題内容的には特筆すべきことはない。順番に見ていこう。

(i) 和歌の解釈をすればオッケー

問4の問題は、これまでどおり「**空欄補充の形式を用いた内容合致問題**」と**考えてよいだろう**。そして[I]に関しては、和歌の解釈だから内容合致ですらないね。どの空欄も、本文のどのあたりと対応しているかもきちんと見て内容をチェックしようね。

[I]の直前を読むと、13行目の和歌の下の句（「五・七・五・七・七」の「七・七」の部分！）の解釈を入れればいいんだね。また、「この場所もまた『月の中なる里』だと思われる」ことの理由を考えればいいんだとわかるね。

ではこの部分を解釈してみよう。「似る」は「同じように見える」という意味でもあるんだ。

「**雪明かりもこの世のものと同じように見えない**」と解釈できる。主人公は「この世のものと同じように見えない」と詠んでいるけど、つまりこれは、「(**雪明かりが**) **この世のものとは同じように思われないほど趣深いなあ**」というふうに感動しているってことだね。それに近いものは②だ。

(ii) おなじみ「段落のまとめ」だ!

Ⅱ の前後を読むと、問われているのは、21行目から23行目の内容(本文の第四段落)のまとめだということがわかるね。

21行目から23行目の内容を現代語訳で整理しよう。和歌Yの直後だね。

> だんだんと日が暮れようとする頃に、あれほど一面に曇っていた空も、**いつのまにかきれいさっぱり一面に晴れて**、有名な(桂の)里の月の光が美しく差し込んできたので、**雪明かりもいっそう鮮やかに映えては、空も地面もすべてがあたかも白銀を打ち延ばしてあるかのように一面に輝いて**、正視できないほどきらびやかな夜の様子である。

選択肢を見てみよう。

①「雲にわずかな隙間が生じ」は、「**いつしかなごりなく晴れわたりて**」の訳と一致しないね。「一筋の月の光」とか「雪の山」という描写もおかしい。バツ。

②「いつの間にかなくなり」は「いつしかなごりなく晴れわたりて」の訳として適切だし、「月の光が鮮やかに差し込み…に輝いている」も、「雪明かりもいっそう鮮やかに映えては、空も地面もすべてがあたかも白銀を打ち延ばしてあるかのように一面に輝いて」という内容に合致しているね。これが正解。

③「雲が少しずつ薄らぎ」は、「いつしかなごりなく晴れわたりて」の訳と一致しないね。バツ。「**雪がその月の光を打ち消して**」ももちろんおかしい。バツ。

④の選択肢は後半がおかしい。「**空にちりばめられた銀河の星**」の話なんて全くしていない。バツ。

よって、正解は②だ。

(iii) 新入試で狙われるのは「表現」か!?

Ⅲの前後を読むと、問われているのは、24行目から28行目（本文の第五段落）の主人公の描かれ方だということがわかるね。そして、**単に内容を問うだけでなく、表現を問題にしていることに気づいただろうか。**出題が予想される「解説文型内容合致」では、**表現を絡めて出題されるかもしれないので要注意だ。**ただ、スゴ技32でやったように、表現では極力勝負せずに、できるだけ客観的内容で判断できるところでの正誤判定を心がけよう！そのほうがきっと解きやすいはずだ。

24行目から28行目の内容を現代語訳で整理しよう。和歌Yの直後だね。

現代語訳

桂の院の管理を任された人もやってきて、「このようにお渡りになるとも知らなかったので、早くにお出迎え申し上げなかったことですよ」などと（主人公に）言いながら、頭も上げないで何につけてもこびへつらうあまりに、牛の額にかかる雪を払いのけようとし、轅に当たって烏帽子を落とし、お車が進んでいくはずの道をきれいにしようとしては、せっかくの雪を踏み荒らしながら、足や手の色を（霜焼けで）海老のように赤くして、桂の木の間を吹き抜ける風ではないが歩きまわって風邪をひく。お供の人々が「今はもう早く（車を）引き入れてしまおう。あちらの様子もたいそう心惹かれるなあ」と言って、一斉にそわそわしあっているのを、（主人公は）「そのとおりだ」とはお思いになるけれども、この場所の情趣もやはり見逃すことも難しくて（まだ立ち去れないのだった）。

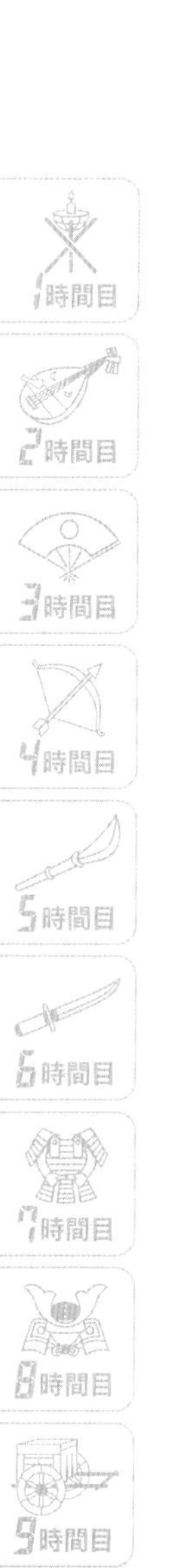

さて、ここで選択肢の検討に入りたいのだけど、その前に解説文の［Ⅲ］の直後に注目すべき箇所があるので見てほしい。

以上のように、本文は「桂の院」に向かう主人公たちの様子を、移り変わる雪と月の情景とともに描き、**最後は院の預かりや人々と対比的に主人公を描いて終わる。**作者は『源氏物語』や中国の故事をふまえつつ、「桂」という言葉が有するイメージをいかして、この作品を著したのである。

そう、「**対比的に主人公を描いて**」という箇所に注目できただろうか。そこで、描かれている様子をまとめると、こんな感じになる。

院の預かりや人々（**従者**）
⇩「院の預かり」は、出迎えが遅れた言い訳をしたり機嫌を取ろうとしたりして、烏帽子を落としたり雪を踏み荒らしたりしながら落ち着かずに歩きまわって風邪をひく。
従者たちは、そわそわとしながら主人公を早く別邸に入れようとする。

主人公

⇩従者たちの言葉を「そのとおりだ」と思いながらも、**まだまだ目の前の趣深い様子を眺めていたくて立ち去りがたく思っている。**

表現や人物の描写などで、この「対比で考える」というのは、出題者の要求として設問に盛り込まれるかもしれないから注意しておこう。

選択肢を見てみよう。

①院の預かりが「足手の色」を「気にして」いると言う描写は本文にはないよ。また人々も「休息をとろうとしている」とは書いていない。落ち着いてよく読もう。それから、**主人公がその場に居続けたいのは、趣深い景色から離れがたいからという風流人だからであって律儀だからではない**。バツ。

②風邪を引いた院の預かりを人々が「放っておく」という内容は書かれていないよね。また、主人公が「体調を気遣う」内容も本文にはない。バツ。

③先ほど示した**院の預かりや人々と主人公との対比**の説明に合致してるね。彼らとは異なり、目の前の景色を賞美し続けたいという主人公の風流心を、**解説文を利用して読み取るのがポイント**。これが正解。

④「都に帰りたくて落ち着かない人々」というのがおかしいね。人々は都に帰りたいわけではない。バツ。

よって③が正解。

以上、どうだったでしょうか。この最後に扱った解説文型空欄補充問題は、**これからの共通テストで定番になるかもしれない**。問題集などを通じて、十分にトレーニングを積んでおこう。

スゴ技 39

共通テスト古文では、「解説文型空欄補充問題」の演習をたくさんやろう！

巻末資料①
共通テスト必修「単語」 228

巻末資料②
共通テスト必修「敬語動詞」 234

巻末資料③
共通テスト必修「掛詞」・「枕詞」 236

「共通テスト古文」では、まず単語を知らないと話にならない！ 必要最低限のものを厳選したから、これだけはちゃんとおぼえてほしい。なーに、膨大な英単語に比べたら軽い軽い。赤字の語は、特に重要な「勝敗を分ける古文単語」だ！ 優先的におぼえよう！

「敬語動詞」は、敬意の方向問題で大切なヒントになるから、しっかりおさえてね。

「掛詞」と「枕詞」は、苦手な和歌を攻略するための大切なアイテムだ。和歌を読むときにはちゃんと意識してね。

共通テスト必修「単語」

チェック	単語	品詞	訳
□	❶ あからさまなり	形動	ほんのちょっと
□	❷ あからめ	名	①わき見、よそ見 ②浮気
□	❸ あきらむ（明らむ）	動	あきらかにする
□	❹ あさまし	形	驚きあきれるほどだ、意外だ
□	❺ あさむ	動	①驚きあきれる、意外に思う ②馬鹿にする、軽蔑する
□	❻ あし（悪し）	形	悪い
□	❼ あそび（遊び）	名	管絃の宴
□	❽ あだなり	形動	①浮気だ ②はかない
□	❾ あたらし	形	惜しい
□	❿ あてなり（貴なり）	形動	①上品だ ②高貴だ
□	⓫ あなかしこ〜禁止	副	決して〜するな
□	⓬ あはれなり	形動	しみじみと心に深く感じられる
□	⓭ あまた	副	たくさん
□	⓮ あやし	形	①不思議だ ②みすぼらしい ③身分が低い
□	⓯ あやなし	形	①筋が通らない ②わけがわからない

チェック	単語	品詞	訳
□	⓰ ありがたし	形	①めったにないほど優れている ②めったにない
□	⓱ ありく（歩く）	動	動き回る
□	⓲ いうなり（優なり）	形動	優美だ、上品だ
□	⓳ いかで〜①推量／②願望・意志	副	①どうして〜だろうか ②なんとかして〜したい・〜しよう
□	⓴ いそぎ（急ぎ）	名	準備
□	㉑ いたし	形	①すばらしい ②ひどい（連用形で）③たいそう ④それほど〜（ない）
□	㉒ いたづらなり	形動	①無駄だ ②役に立たない ③むなしい
□	㉓ いたづらになる	慣	死ぬ
□	㉔ いつく	動	大切に育てる
□	㉕ いつしか	副	①いつのまにか ②早く（〜たい・〜てほしい）
□	㉖ いと	副	①たいそう ②それほど〜（ない）
□	㉗ いときなし、いとけなし、いはけなし	形	幼い、あどけない
□	㉘ いとど	副	ますます
□	㉙ いとふ（厭ふ）	動	①いやがる ②（「世をいとふ」の形で）出家する
□	㉚ いとほし	形	気の毒だ

チェック	単語	品詞	訳
□	㉛ いぶかし	形	①気がかりだ ②知りたい
□	㉜ いふもおろかなり	慣	言い尽くせない
□	㉝ いふもさらなり、いへばさらなり	慣	言うまでもない
□	㉞ いまいまし（忌ま忌まし）	形	不吉だ
□	㉟ いみじ	形	①すばらしい ②ひどい ③（連用形で）とても
□	㊱ うし（憂し）	形	①嫌だ ②つらい
□	㊲ うしろみる（後ろ見る）	動	世話をする、後見する
□	㊳ うしろめたし、うしろめたなし	形	気がかりだ、不安だ
□	㊴ うたてし	形	①いやだ ②嘆かわしい
□	㊵ うち（内・内裏）	名	①宮中 ②天皇
□	㊶ うつくし（美し）	形	かわいらしい
□	㊷ うへ（上）	名	①天皇 ②奥方
□	㊸ うるはし	形	きちんとしている、整っている
□	㊹ え～打消	副	～できない
□	㊺ えんなり（艶なり）	形動	優美だ

チェック	単語	品詞	訳
□	㊻ おいらかなり	形動	穏やかである、おっとりしている
□	㊼ おこたる	動	病気が良くなる
□	㊽ おこなふ（行ふ）	動	仏道修行をする
□	㊾ おとなし（大人し）	形	①大人びている ②思慮分別がある
□	㊿ おどろく	動	①目を覚ます ②はっと気づく
□	51 おほかた～打消	副	まったく～ない
□	52 おぼつかなし	形	①はっきりしない ②気がかりだ ③待ち遠しい、じれったい
□	53 おぼろけなり	形動	①並々である、普通だ ②並大抵でない、並ひととおりではない
□	54 おもしろし	形	①風流だ、すばらしい ②楽しい
□	55 おもはずなり（思はずなり）	形動	意外だ、思いがけない
□	56 おろかなり（疎かなり）	形動	①いい加減だ ②（「～とはおろかなり」で）～という言葉では言い尽くせない
□	57 かぎり（限り）	名	①限界 ②臨終 ③～のすべて
□	58 かこつ	動	①嘆く ②（他の）せいにする
□	59 かしこし（畏し、賢し）	形	①おそれ多い ②優れている ③都合がよい ④（連用形で）はなはだしく
□	60 かしづく	動	大切に育てる

チェック	単語	品詞	訳
□ 61	かしらおろす（頭おろす）	慣	出家剃髪する
□ 62	かたじけなし	形	おそれ多い、もったいない
□ 63	かたはらいたし	形	①みっともない、見苦しい ②きまりが悪い ③気の毒だ
□ 64	かたみに	副	互いに
□ 65	かづく（被く）	動	①［四段］かぶる、（褒美を）いただく ②［下二段］かぶせる、（褒美を）与える
□ 66	かなし	形	①いとしい ②悲しい
□ 67	かまへて〜禁止	副	決して〜するな
□ 68	きよらなり（清らなり）	形動	気品があって美しい
□ 69	ぐす（具す）	動	①伴う ②連れる ③添える
□ 70	くちをし（口惜し）	形	残念だ
□ 71	くっす（屈す）、くんず（屈ず）	動	ふさぎ込む
□ 72	けし（怪し、異し）	形	異様だ
□ 73	けしうはあらず	慣	悪くはない
□ 74	けしからず	慣	①異様だ ②よくない
□ 75	けしき（気色）	名	①様子 ②機嫌

チェック	単語	品詞	訳
□ 76	げに（実に）	副	本当に、なるほど
□ 77	こうず（困ず）	動	疲れる
□ 78	ここら、そこら	副	たくさん
□ 79	こころぐるし（心苦し）	形	①気の毒だ ②気がかりだ
□ 80	こころづきなし	形	気に入らない
□ 81	こころにくし	形	奥ゆかしい
□ 82	こころもとなし	形	①はっきりしない ②気がかりだ ③待ち遠しい、じれったい
□ 83	こころやすし（心安し）	形	安心だ
□ 84	ことわり（理）	名	道理
□ 85	ことわりなり（理なり）	形動	もっともだ、当然だ
□ 86	さうざうし	形	①もの足りない ②寂しい
□ 87	さうなし（双無し、左右無し）	形	①比べるものがない、並ぶものがない ②ためらわない、言うまでもない
□ 88	ざえ（才）	名	①（漢学の）教養 ②（和歌・音楽の）才能
□ 89	さかし（賢し）	形	①賢い ②こざかしい
□ 90	さすが、さすがに	副	そうはいってもやはり

チェック	単語	品詞	訳
□ 91	さながら（然ながら）	副	①そのまま ②すべて
□ 92	さまをかふ（様を変ふ）	慣	出家する
□ 93	さらに〜打消	副	まったく〜ない
□ 94	さらにもいはず	慣	言うまでもない、もっともだ
□ 95	さらぬわかれ（避らぬ別れ）	慣	死別
□ 96	さるべき（然るべき）	慣	①そうなるはずの（運命の・宿命の）②ふさわしい ③立派な
□ 97	さるべきにや	慣	そうなるはずの前世からの宿縁であろうか
□ 98	しのぶ（忍ぶ、偲ぶ）	動	①我慢する ②人目を避ける ③思い出す
□ 99	しほたる（潮垂る）	動	涙を流す
□ 100	しるし（験、徴）	名	①前兆 ②効き目 ③ご利益
□ 101	すずろなり、そぞろなり（漫ろなり）	形動	①（連用形で）あてもなく、わけもなく ②むやみやたらだ ③思いがけない
□ 102	たえて〜打消	副	まったく〜ない
□ 103	ただならず	慣	妊娠している
□ 104	たのむ（頼む）	動	①[四段]あてにする、期待する ②[下二段]あてにさせる、期待させる
□ 105	ちぎり（契り）	名	①約束 ②前世からの宿縁 ③男女が逢うこと、逢瀬

チェック	単語	品詞	訳
□ 106	つきづきし	形	似つかわしい、ふさわしい
□ 107	つきなし	形	ふさわしくない
□ 108	つとめて	名	①早朝 ②翌朝
□ 109	つゆ〜打消	副	まったく〜ない
□ 110	つらし	形	①薄情だ、冷淡だ ②つらい
□ 111	つれづれなり（徒然なり）	形動	①退屈だ ②もの寂しい
□ 112	つれなし	形	①平然としている ②冷淡だ
□ 113	とし（疾し）	形	早い、速い
□ 114	とみなり（頓なり）	形動	急だ、にわかだ
□ 115	な〜そ	副	〜してはいけない
□ 116	なかなか	副	かえって
□ 117	ながむ（眺む、詠む）	動	①もの思いに沈む ②和歌を詠む
□ 118	など、などか、などて	副	①（疑問）どうして〜か ②（反語）どうして〜か。いや、〜ない
□ 119	なのめなり	形動	①並ひととおりだ ②並ひととおりではない
□ 120	なほ	副	やはり、依然として

チェック	単語	品詞	訳
□ 121	なほざりなり	形動	いい加減だ、本気ではない
□ 122	なまめかし	形	①若々しい ②上品だ
□ 123	なやまし	形	(病気などで)気分が悪い
□ 124	なやむ	動	病気になる
□ 125	ならふ(慣らふ、馴らふ)	動	①慣れる ②なじむ
□ 126	にほふ(匂ふ)	動	①美しく映える ②香る
□ 127	ねんごろなり(懇ろなり)	形動	①心を込めて丁寧だ ②熱心だ ③親密だ
□ 128	ねんず(念ず)	動	①我慢する ②祈る
□ 129	ののしる	動	①大声で騒ぐ ②評判になる
□ 130	はかなくなる	慣	死ぬ
□ 131	はしたなし	形	①中途半端だ ②きまりが悪い ③みっともない
□ 132	はづかし(恥づかし)	形	(こちらが恥ずかしくなるほど)立派だ
□ 133	びんなし(便無し)	形	不都合だ
□ 134	ふみ(文)	名	①手紙 ②漢詩、漢籍
□ 135	ほい(本意)	名	①かねてからの望み ②出家の願い

チェック	単語	品詞	訳
□ 136	ほいなし(本意無し)	形	残念だ
□ 137	ほだし(絆)	名	①妨げになるもの、家族 ②出家の妨げになるもの
□ 138	まうく(設く)	動	①準備する、用意する ②手に入れる
□ 139	まめなり	形動	①誠実だ、まじめだ ②実用的だ
□ 140	まめまめし	形	①誠実だ、まじめだ ②実用的だ
□ 141	まもる、まぼる	動	見守る、見つめる
□ 142	みぐしおろす(御髪おろす)	慣	出家剃髪する
□ 143	みる(見る)	動	男女が結ばれる、結婚する
□ 144	むくつけし	形	気味が悪い
□ 145	むつかる	動	①不快に思う ②腹を立てる
□ 146	むなしくなる	慣	死ぬ
□ 147	むべ、うべ	副	なるほど
□ 148	めざまし	形	①気にくわない ②すばらしい
□ 149	めづ	動	①感嘆する ②気に入る
□ 150	めづらし	形	すばらしい

チェック	単語	品詞	訳
□ 151	めでたし	形	すばらしい
□ 152	もてなす	動	①扱う ②振る舞う
□ 153	ものし	形	不快だ
□ 154	ものす（物す）	動	する
□ 155	やうやう	副	しだいに、だんだんと
□ 156	やがて	副	①（状態が）そのまま ②（時間が）すぐに
□ 157	やさし	形	①優雅だ ②けなげだ、殊勝だ
□ 158	やつす	動	①目立たない服装にする ②出家する
□ 159	やむごとなし	形	①高貴だ ②並々ではない
□ 160	やをら、やはら	副	そっと、静かに
□ 161	ゆかし	形	見たい、聞きたい、知りたい、心ひかれる
□ 162	ゆめ・ゆめゆめ～禁止／打消	副	①決して～するな ②まったく～ない
□ 163	ゆゆし	形	①不吉だ ②すばらしい ③（連用形で）はなはだしく
□ 164	よしなし（由無し）	形	①つまらない ②関係がない
□ 165	よに～打消	副	まったく～ない

チェック	単語	品詞	訳
□ 166	よも～じ	副	まさか～ないだろう
□ 167	よをすつ（世を捨つ）	慣	出家する
□ 168	よをそむく（世を背く）	慣	出家する
□ 169	よろし	形	悪くはない、普通だ
□ 170	らうたし	形	かわいらしい、いじらしい
□ 171	わたる（渡る）	動	①通る、行く ②～し続ける ③一面に～する
□ 172	わづらふ	動	①病気になる ②～しかねる
□ 173	わびし（侘びし）	形	つらい、やりきれない
□ 174	わぶ（侘ぶ）	動	①嘆く ②困る ③～しかねる
□ 175	わりなし	形	①無理だ ②どうしようもない ③つらい ④（連用形で）ひどく
□ 176	わろし	形	よくない
□ 177	をかし	形	①美しい、かわいらしい、風流だ ②おかしい
□ 178	をさをさ～打消	副	ほとんど～ない
□ 179	をさをさし	形	①しっかりしている ②大人びている

共通テスト必修「敬語動詞」

チェック	尊敬語	訳
□	❶ おはす、おはします	①いらっしゃる ②～なさる、お～になる
□	❷ おぼす、おぼしめす	お思いになる
□	❸ おほす（仰す）、おほせらる（仰せらる）	おっしゃる
□	❹ おほとのごもる（大殿籠る）	おやすみになる
□	❺ きこしめす（聞こし召す）	①お聞きになる ②召し上がる
□	❻ たてまつる（奉る）	①お召しになる ②お乗りになる ③召し上がる ＊謙譲語もあるので注意
□	❼ たまはす（給はす）	お与えになる、くださる
□	❽ たまふ（給ふ）	①お与えになる、くださる ②お～になる **＊四段活用**
□	❾ まゐる（参る）	召し上がる ＊謙譲語もあるので注意
□	❿ めす（召す）	①お呼びになる ②お取り寄せになる ③お召しになる ④お乗りになる ⑤召し上がる
□	⓫ のたまふ、のたまはす	おっしゃる

チェック	丁寧語	意味
□	❶ さぶらふ、さうらふ（候ふ）	①あります、ございます ②～です、～ます ＊謙譲語もあるので注意
□	❷ はべり（侍り）	①あります、ございます ②～です、～ます ＊謙譲語もあるので注意

チェック

	謙譲語	訳
□	❶ うけたまはる(承る)	①お受けする ②お聞きする、うかがう
□	❷ きこゆ(聞こゆ)	①申し上げる ②～申し上げる
□	❸ けいす(啓す)	(中宮・東宮に)申し上げる
□	❹ さぶらふ、さうらふ(候ふ)	お仕えする、おそばに控える ＊丁寧語もあるので注意
□	❺ そうす(奏す)	(天皇・上皇に)申し上げる
□	❻ たてまつる(奉る)	①差し上げる ②～申し上げる ＊尊敬語もあるので注意
□	❼ たまはる(賜る)	いただく
□	❽ たまふ(給ふ)	～ます ＊**下二段活用**
□	❾ つかうまつる(仕うまつる)	①お仕え申し上げる ②～申し上げる
□	❿ はべり(侍り)	お仕えする、おそばに控える ＊丁寧語もあるので注意
□	⓫ まうす(申す)	①申し上げる ②～申し上げる
□	⓬ まうづ(詣づ)	参上する、参詣する
□	⓭ まかづ	退出する
□	⓮ まかる	①退出する ②(「まかり＋動詞」)～ます
□	⓯ まゐらす(参らす)	①差し上げる ②～申し上げる
□	⓰ まゐる(参る)	①参上する、参詣する ②差し上げる ③して差し上げる ＊尊敬語もあるので注意

共通テスト必修「掛詞」

チェック	掛詞	意味
□ 1	あかし	「明石」「明かし」
□ 2	あき	「秋」「飽き」
□ 3	あふ	「逢ふ」「逢坂」など
□ 4	うき	「浮き」「憂き」
□ 5	うら	「浦」「裏」「心（うら）」
□ 6	かる	「枯る」「離（か）る」
□ 7	きく	「聞く」「菊」
□ 8	ながめ	「長雨」「眺め」
□ 9	なかる	「流る」「泣かる」
□ 10	なき	「無き」「泣き」「鳴き」
□ 11	なみ	「波」「無み（＝無いので）」「涙」
□ 12	ひ	「恋ひ」「思ひ」「火」「日」
□ 13	ふる	「降る」「振る」「古る」「経る」
□ 14	ふみ	「踏み」「文」
□ 15	まつ	「松」「待つ」

共通テスト必修「枕詞」

チェック	枕詞	導かれる語
□ 1	あしひきの	山・峰
□ 2	あづさゆみ	射る・引く・張る
□ 3	あらたまの	年・月・日
□ 4	からごろも	着る・裁（た）つ・袖・裾
□ 5	くさまくら	旅
□ 6	たまきはる	命
□ 7	たらちねの	母・親
□ 8	ちはやぶる	神
□ 9	ぬばたまの	黒・夜・闇・髪
□ 10	ひさかたの	天（あめ）・空・光

おわりに

皆さん、10時間の「スゴ技」はどうだったでしょうか。自信がついた！ という人もいれば、まだまだおぼえるべきことがたくさんあるなと感じている人もいるのではないでしょうか。見つけ出した自分の弱点はほったらかしにせず、必ず復習しましょう！

さて、この本を最後まで読んでくれた人にはわかると思いますが、「スゴ技」とは「**受験テクニック**」や「**裏技**」**とはまったく違う**「**正攻法**」**だということです**。この本を買おうと思った人の中には、タイトルの「スゴ技」という言葉を見て、「ズルい手を使って点数をとるテクニックや裏技」が書いてあると期待してしまった人もいたのではないでしょうか。残念ながらそんなものは世の中にはありません。でも、**そんな危なっかしいテクニックよりも、はるかに役に立ち**、**確実に得点になることをこの本に盛り込みました**。**それが「スゴ技」です**。この方針は、このシリーズの初代となるセンター試験版の『古文のスゴ技』から少しも変わっていません。おかげさまで、これまでの『古文のスゴ技』シリーズは多くの受験生に支持されてきました。読者からは、「今まで何をどうすればよいかわからない状態だったのに、『スゴ技』を読んでからはマーク模試や本番でもずっと満点。ありがとうございました」という嬉しいお手紙もいただきました。ぜひ、読者の皆さんも続いてほしいと思います。感想、お待ちしています。

共通テストの壁は想像以上に高いものです。でも、この本で学んだことをきちんと定着させれば、共通テストで9割、いや満点も夢ではありません。**やるべきことをやれば必ず自分の道は開けます**。「**共通テストなんて怖くない**」。読み終わった受験生がそう言ってくれると嬉しいです。

皆さんが本番でそれぞれの目標点がとれますように。今日もそのように祈りながら教壇に立っています。この本が、力強く受験生の背中を押すことのできる贈り物になれば幸いです。

最後まであきらめないこと。頑張れ、受験生！

渡辺 剛啓

渡辺　剛啓（わたなべ　たけひろ）
横浜出身。慶應義塾大学文学部国文学専攻卒業。駿台予備学校古文科講師。
駿台では、東大・医系・早慶大コースなどを担当。鋭く要点を突いた丁寧かつ明快な講義が特徴で、首都圏校舎の教壇に立ちながら札幌校にも毎週出講するなど担当講座は大好評。映像講座『共通テスト古典パーフェクトレクチャー』では全国に講義が配信され幅広い支持を獲得している。前著『最短10時間で9割とれる　共通テスト古文のスゴ技』（KADOKAWA）はベストセラーとなり、多くの受験生から好評を博した。予備校業界屈指の名講師陣と謳われる駿台古文科の次代を担う講師といわれている。

改訂版　最短10時間で9割とれる
共通テスト古文のスゴ技

2024年11月1日　初版発行

著者／渡辺 剛啓

発行者／山下 直久

発行／株式会社KADOKAWA
〒102-8177　東京都千代田区富士見2-13-3
電話　0570-002-301（ナビダイヤル）

印刷所／株式会社加藤文明社

製本所／株式会社加藤文明社

●お問い合わせ
https://www.kadokawa.co.jp/（「お問い合わせ」へお進みください）
※内容によっては、お答えできない場合があります。
※サポートは日本国内のみとさせていただきます。
※Japanese text only

定価はカバーに表示してあります。

ISBN 978-4-04-606666-4　C7081